¡Viva el Español!

Ava Belisle-Chatterjee
Linda West Tibensky
Abraham Martínez-Cruz

National Textbook Company
a division of *NTC Publishing Group* • Lincolnwood, Illinois USA

Project Director: Keith Fry
Project Managers: William Hrabrick, Frank Crane
                          Publishing Services International, Inc.
Contributing Writer: Judy Veramendi
Design Concept: Rosa + Wesley Design Associates
Cover Design: Rosa + Wesley Design Associates
Page Design: Fulcrum Creative
Art & Production Coordinator: Nancy Ellis
Cover Photographer: Robert Keeling
Cover Illustrator: Terri Starrett
Illustrators: Tim Basaldua, James Buckley, Mickey Gill,
Carolyn Gruber, Nancy Panacionne, Leanne Thomas,
Don Wilson, Fred Womack

Published by National Textbook Company,
a division of NTC Publishing Group,
4255 West Touhy Avenue, Lincolnwood (Chicago),
Illinois 60646-1975 U.S.A.

7 8 9 0 QB 9 8 7 6 5 4 3 2

CONTENTS

Unidad 5

Unidad 6

Unidad 7

Unidad 8

Unidad 9

Unidad 10

Unidad 11

Unidad 12

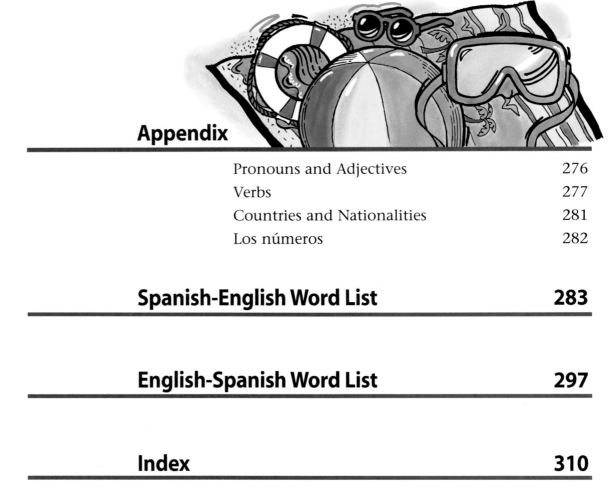

Appendix

¡Viva el Español!

UNIDAD DE REPASO

Un paso más

CULTURE: PHOTOS AND REALIA
In Latin America, kids usually break the school dress code on the first and last day of school. For the first day of school, many students like to wear brand-new clothes. On the last day, they may wear something elegant and formal.

¡Hola! ¿Qué tal? **Welcome back to school! Did you have a good vacation this year?**

¡Adelante! That means, "Go ahead!" In this **Unidad de repaso,** you're going to review some of the things you learned before, just to get you started.

Begin with the basics. Don't be concerned if you have a little difficulty remembering at first. It will come back to you.

- If you don't already have a name for yourself in Spanish, choose one. Then go up to five of your classmates and ask them what their name is: **¿Cómo te llamas?**

- Get with classmates and find out more about them: their addresses, telephone numbers, ages, birthdays, and favorite sports. Find out as much as you can!

- Go through magazines, pointing out things you remember the names for in Spanish: food, clothing, furniture, etc. Ask each other questions about them.

2 *¡Adelante!*

Los alumnos van
a la escuela.

¡Estoy lista para
el nuevo año!

La maestra da
una lección.

¿Sabes que...?

- In Spanish-speaking countries, it's customary for friends to give each other a big hello hug (*un abrazo*) if they haven't seen each other in awhile.

- More kids study Spanish each year in the U.S. than there are kids in the whole country of Bolivia.

- Thousands of American kids vacation in the U.S., then go back to school in a Spanish-speaking country!

PRACTIQUEMOS

○ **A.** Your friends are playing a game in which you have to guess what part of the body they're touching. Look at the pictures and tell what each person is touching.

Juana: **la oreja**

EXTENSION
Continue the activity by having volunteers point to different body parts as you ask the class **¿Qué le duele?**

Juana

1. Carlota

EX. A ANSWERS

1. la lengua

2. Miguel

2. la nariz

3. Minerva

3. las orejas

4. Rosita

4. los labios

5. Leonardo

5. los dientes

6. Marcos

6. las cejas

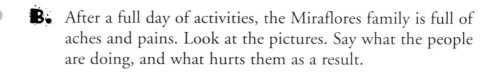

B. After a full day of activities, the Miraflores family is full of aches and pains. Look at the pictures. Say what the people are doing, and what hurts them as a result.

a. ¿Qué hace Isabel?
b. ¿Qué le duele?
Isabel usa la computadora.
A ella le duelen los ojos.

EXTENSION
Ask a volunteer to pantomime an activity as you ask the question **¿Qué hace (Beatriz)?**
Then have the student pantomime a related ache or pain as you ask **¿Qué le duele?**

1.

a. ¿Qué hace el papá?
b. ¿Qué le duele?

EX. B ANSWERS

1. a. El papá camina.
   b. A él le duelen los pies.

2.

a. ¿Qué hace Juan?
b. ¿Qué le duele?

2. a. Juan nada.
   b. A él le duele el brazo.

3.

a. ¿Qué hace la mamá?
b. ¿Qué le duele?

3. a. La mamá escribe.
   b. A ella le duelen los dedos.

4.

a. ¿Qué hace el hermano?
b. ¿Qué le duele?

4. a. El hermano lee (estudia).
   b. A él le duele la espalda.

FOR THE NONSPECIALIST
The ending of the verb **doler** agrees with the subject of the verb, which is usually found at the end of the sentence: **¿Le duele la mano? No, me duelen los dedos.**

C. It's wash day for the Sierra family. Your friend Sergio needs help sorting the clothes. Look at the picture and answer the questions.

Papá • Mamá • Pepita • Lucho • Abuelo • Rita • José

EX. C ANSWERS

1. Los pantalones grandes son del abuelo.
2. El suéter pequeño es de Pepita.
3. Los calcetines grandes son del papá.
4. Los pantalones pequeños son de José.
5. La camisa mediana es de Lucho.
6. El vestido es de mamá.
7. Los calcetines pequeños son de José.
8. La camisa pequeña es de José.
9. El impermeable es de Rita.

1. ¿De quién son los pantalones grandes?

2. ¿De quién es el suéter pequeño?

3. ¿De quién son los calcetines grandes?

4. ¿De quién son los pantalones pequeños?

5. ¿De quién es la camisa mediana?

6. ¿De quién es el vestido?

7. ¿De quién son los calcetines pequeños?

8. ¿De quién es la camisa pequeña?

9. ¿De quién es el impermeable?

D. You're out shopping with a friend. Ask your friend's opinion of how the items fit. Be sure the descriptive words match the nouns.

PARTNER A: Look at the first word and ask your friend how that item fits.

PARTNER B: Use the second word to say how it fits.

los pantalones / largo
—¿**Cómo me quedan los pantalones?**
—**Los pantalones te quedan largos.**

1. el sombrero / grande

2. la camisa / pequeño

3. las botas / mal

4. el suéter / largo

5. el abrigo / corto

6. los zapatos / grande

7. la chaqueta / bien

E. Juan and Isabel Miraflores are twins, but they are complete opposites. Complete the sentences to say what Isabel is like. Be sure to use feminine words to describe her when necessary.

Juan es alto. Isabel es _____.
Isabel es baja.

1. Juan es débil. Isabel es _____.

2. Juan es grueso. Isabel es _____.

3. Juan tiene el pelo corto. Isabel tiene el pelo _____.

4. Juan siempre tiene frío. Isabel siempre tiene _____.

5. Juan tiene el pelo rubio. Isabel tiene el pelo _____.

6. A Juan le gustan los gatos. A Isabel le gustan _____.

ENTRE AMIGOS

 Play a game with three classmates. First make ten cards with the word **sí** on them, and ten cards with the word **no** on them. Mix them up and place them face down in a pile.

Now write these words on ten separate cards: **alto / alta, bajo / baja, fuerte, generoso / generosa, atlético / atlética, tímido / tímida, popular, impaciente, simpático / simpática, inteligente.** Put these cards face down in a second pile.

One player starts by picking a card from the second pile. This player uses the word on the card to ask the next player to the left if he or she possesses that quality:

Miguel, ¿eres tú (tímido)?

This player then picks a card from the first pile, answering according to the word selected (**sí** or **no**):

No, no soy tímido. OR Sí, soy tímido.

Now this player picks a card from the second pile, and asks a new question of the player to his or her left, and so on. Players receive one point for a correctly formed **"sí"** answer, and one point for a correctly formed **"no"** answer. Play five rounds, then count points to see who is the winner. Reshuffle cards as necessary.

ENRICHMENT

You may wish to choose from the following additional adjectives: **valiente** *(brave)*, **perezoso** *(lazy)*, **modesto** *(modest)*, **orgulloso** *(proud)*, **antipático** *(unpleasant, unfriendly)*, **tacaño** *(stingy)*, **paciente** *(patient)*, **serio** *(serious)*, **artístico** *(artistic)*, **idealista** *(idealistic)*.

F. Luis is at it again. Every time you say something about your house or family, he has to top it.

EX. F ANSWERS
1. Mi hermana es más inteligente que tu hermana.
2. Mi hermanito es más simpático que tu hermanito.
3. Mi perro es más cómico que tu perro.
4. Mi mamá es más alta que tu mamá.

PARTNER A: Make the statement to Luis.

PARTNER B: You're Luis. Use **más...que** to top your friend's statement.

—Mi papá es muy fuerte.
—Mi papá es más fuerte que tu papá.

1. Mi hermana es muy inteligente.

2. Mi hermanito es muy simpático.

3. Mi perro es muy cómico.

4. Mi mamá es muy alta.

5. Mi hermana es muy atlética.

6. Mi casa es muy grande.

5. Mi hermana es más atlética que tu hermana.
6. Mi casa es más grande que tu casa.

G. Your friend wants to know more about you. Answer his or her questions. Then switch roles.

EX. G ANSWERS
Answers will vary.

1. ¿Viven tu familia y tú en una casa o en un apartamento?

2. ¿Les gusta su casa o apartamento?

3. ¿Vives cerca de la escuela?

4. ¿Cuántos dormitorios tiene tu casa?

5. ¿Hay un comedor?

6. ¿Comen tu familia y tú en la cocina o en el comedor?

7. ¿Hay un teléfono en tu dormitorio?

8. ¿Hay un teléfono en el dormitorio de tus papás?

EXTENSION
Science/Social Studies   If students have access to the Internet, help them find a Spanish-speaking pen pal.
(Students could ask their pen pals the questions in Exercise G and compare the responses with their own answers.)
Use this occasion to talk about how electronic communication can bring people closer together.

H. You're moving into a new house today. You're writing a report describing everything as it is happening. Use **poner** or **traer** to complete the sentences.

Papá y Alonso _____ el sillón en la sala. (poner)
Papá y Alonso ponen el sillón en la sala.

1. Los hombres _____ todas nuestras cosas. (traer)

2. Mamá y yo _____ las lámparas dentro de la casa. (traer)

3. Nosotros _____ las lámparas en la sala. (poner)

4. Mi hermana _____ sus carteles en su dormitorio. (poner)

5. Papá y mi tío Ernesto _____ nuestro sofá del garaje. (traer)

6. El sofá es muy grande. Ellos _____ el sofá en la sala. (poner)

7. Yo _____ mi silla grande. (traer)

8. _____ la silla en mi dormitorio. (poner)

¿Está la lámpara alta cerca del sofá?

CULTURE: PHOTOS AND REALIA
While in the U.S. it is common to place one large picture above the sofa, you'll often find a number of smaller images in the homes of many Hispanic families. Those images are often photographs of family members.

1. Things are still not in order. A friend comes over to help. Answer your friend's questions about where things are.

PARTNER A: You're the friend. Look at the picture and complete the question.

PARTNER B: Use the words in parentheses to answer.

¿Dónde está _____? (delante de / el tocador)
—**¿Dónde está la cama?**
—**Está delante del tocador.**

EXTENSION
Give students three minutes to draw on a piece of paper a picture of a bedroom with the following items: **la cama, la mesita de noche, la lámpara, el estante, el sillón, el televisor.** When they are done, have them turn over their papers and get with a partner. The goal is for students to draw a picture similar to the one their partners did by asking where things are located. You may want to hand out a sticker to the pair with the best picture.

1.

¿Dónde está _____ ?
(detrás de / la lámpara azul)
EX. I ANSWERS
1. ...el televisor?
   Está detrás de la lámpara azul.

2.

¿Dónde está _____ ?
(cerca de / el radio)
2. ...el espejo?
   Está cerca del radio.

3.

¿Dónde está _____ ?
(detrás de / el estante)
3. ...la mesita de noche?
   Está detrás del estante.

4.

¿Dónde está _____ ?
(delante de / el sofá)
4. ...el sillón?
   Está delante del sofá.

○ **J.** What's in the kitchen? Look at the pictures. For each one, answer the question **¿Qué es esto?**

Es una estufa.

EX. J ANSWERS

 1.

 2.

 3.

 **4.**

1. Es un lavaplatos.

2. Es una licuadora.

3. Es un refrigerador.

4. Es un horno de microondas.

 5.

 6.

 **7.**

 **8.**

5. Es un abrelatas.

6. Es un horno.

7. Es una batidora eléctrica.

8. Es un grifo.

◑ **K.** Get together with a friend and find out which fruits he or she likes.

PARTNER A: Ask your friend if he or she likes the fruit in the picture.

PARTNER B: Answer according to what you like.

—**¿Te gustan las peras?**
—**Sí, me gustan las peras.** OR **No, no me gustan las peras.**

EX. K ANSWERS
Questions and answers are all constructed exactly like the model. Substitute the names of the various fruits.

 **1.**

 **2.**

 **3.**

1. las manzanas

2. las fresas

3. las cerezas

4.

4. las uvas

5.

5. las piñas

6.

6. las sandías

7.

7. los plátanos

8.

8. los limones

9.

9. las naranjas

 L. A pipe leaked in the Ortega house and everything flooded. What a mess! Mr. Ortega has made a list of everyone's chores. With a classmate, pick two rooms and tell what everyone has to do.

La cocina
Barrer el piso: Papá
Limpiar el piso: Susana
Sacar la basura: Rodolfo y Pablo

Los dormitorios
Recoger las cosas: Abuela y Pablo
Pasar la aspiradora: Susana
Colgar la ropa: Rodolfo y Mamá

La sala
Quitar el polvo: Abuela y Papá
Pasar la aspiradora: Mamá
Recoger las cosas: Pablo

El sótano
Limpiar el piso: Papá y Rodolfo
Lavar y secar la ropa: Abuelo
Planchar la ropa: Mamá

Los cuartos de baño
Limpiar el piso: Susana
Sacar la basura: Rodolfo y Pablo
Limpiar los espejos: Mamá

EX. L ANSWERS

La cocina
Papá tiene que barrer el piso.
Susana tiene que limpiar el piso.
Rodolfo y Pablo tienen que sacar la basura.

Los dormitorios
Abuela y Pablo tienen que recoger las cosas.
Susana tiene que pasar la aspiradora.
Rodolfo y Mamá tienen que colgar la ropa.

La sala
Abuela y Papá tienen que quitar el polvo.
Mamá tiene que pasar la aspiradora.
Pablo tiene que recoger las cosas.

El sótano
Papá y Rodolfo tienen que limpiar el piso.
Abuelo tiene que lavar y secar la ropa.
Mamá tiene que planchar la ropa.

Los cuartos de baño
Susana tiene que limpiar el piso.
Rodolfo y Pablo tienen que sacar la basura.
Mamá tiene que limpiar los espejos.

La sala   Abuela y Papá tienen que quitar el polvo.

M. All day long, your mother keeps asking if you want to eat different things. But you've always just finished eating something else. Look at the pictures and complete the questions and answers.

PARTNER A: You're the mother. Ask the question, using the picture.

PARTNER B: Answer that you've just eaten something else, using the picture.

¿Quieres comer ?

¿Quieres comer las zanahorias?

1. ¿Quieres comer ?

EX. M ANSWERS

1. ...la ensalada?

No, Mamá. Acabo de comer .

...una papa.

2. ¿Quieres comer ?

2. ...una hamburguesa?

No, Mamá. Acabo de comer .

...un sándwich.

3. ¿Quieres comer ?

3. ...carne?

No, Mamá. Acabo de comer  .

...pollo.

N. A friend's father is opening a restaurant for young people. Your friend is doing research to find out people's eating habits. Answer the questions.

PARTNER A: Ask the questions.
PARTNER B: Answer truthfully.

—¿A qué hora tomas el desayuno?
—Tomo el desayuno a las (once y media).

1. ¿A qué hora tomas el desayuno?

2. ¿Qué comes en el desayuno de lunes a viernes?

3. ¿Qué comes en el desayuno los fines de semana?

4. ¿A qué hora almuerzan tus amigos y tú?

5. Generalmente, ¿qué quieren comer en el almuerzo?

6. ¿Comes tú muchas legumbres?

7. ¿A ti te gustan las ensaladas?

8. ¿A qué hora es la cena en tu casa?

9. ¿Tu familia y tú comen mucho o poco en la cena?

10. ¿Qué te gusta más, comer dentro de la casa o fuera de la casa?

A ellos les gusta cenar juntos.

CULTURE: PHOTOS AND REALIA
A common practice in Spanish-speaking countries is the **sobremesa.** The **sobremesa** is the time spent talking at the table after eating. Since people enjoy the **sobremesa**, waiters in restaurants usually do not bring the check to the table until they are asked.

ENTRE AMIGOS

Get together with a classmate and find out the things he or she likes or doesn't like to eat.

Ask **¿Qué te gusta comer?** and **¿Qué no te gusta comer?** Find out five different items for each question. Be sure to record your results.

Then get together with another pair of students and report your findings:

A Juan le gusta la sopa. No le gustan las naranjas...

EXTENSION
After completing the activity, have students conduct interviews at home and report on their families' food preferences.

¿Qué te gusta comer?

Ñ. Who can do what? Get with a partner and find out!

PARTNER A: Look at the activity and ask who can do it.

PARTNER B: Answer using the person indicated.

EX. Ñ ANSWERS

Each question begins with ¿Quién puede…?

1. Marcos y Ana pueden…
2. Tú puedes…
3. Yo puedo…
4. Ustedes pueden…
5. Angélica puede…
6. Ellos pueden…
7. Nosotros podemos…
8. Jorge y Luis pueden…

bailar bien / Félix
—**¿Quién puede bailar bien?**
—**Félix puede bailar bien.**

1. usar la computadora / Marcos y Ana

2. planchar la ropa / tú

3. abrir la puerta / yo

4. correr / ustedes

5. cocinar / Angélica

6. practicar los deportes / ellos

7. regar las plantas / nosotros

8. cantar bien / Jorge y Luis

O. You're writing a report (**un reporte**) about what you and your family do in the mornings. Finish the sentences with one of the words from the list.

despertarse	ponerse	quitarse
cepillarse	peinarse	bañarse
lavarse	irse	acostarse

Mi papá _____ a las seis y media de la mañana.
Mi papá se despierta a las seis y media de la mañana.

1. Mi hermanitos y yo _____ a las siete.

2. Yo _____ los dientes y _____ la ropa antes del desayuno.

3. Mi hermanita _____ la cara y _____. Tiene el pelo largo y bonito.

4. Comemos el desayuno, y luego nosotros _____ de la casa. Es la hora de la escuela.

5. A las nueve de la noche, yo _____ en el cuarto de baño.

6. Mi hermanito _____ en su cama a las nueve y media. Yo _____ a las diez.

P. Little Paquito is waiting for his friends to arrive. He's not tall enough to see out the window, so he asks you to tell him what you see. Look at the pictures, then answer the questions.

—¿Hay alguien en la calle?
—Sí, hay alguien en la calle.

1.
a. ¿Hay algo en la calle?
b. ¿Hay alguien en la calle?

2.
a. ¿Hay alguien en la ventana?
b. ¿Hay algo en los balcones?
c. ¿Hay alguien dentro de los apartamentos?

Q. Marcos has written about his Sunday, but he has made some mistakes. Help him correct his sentences by changing the word in bold print to the correct form.

Hoy, yo **piensa** ir a la casa de María.
Hoy, yo pienso ir a la casa de María.

1. Me levanto a las nueve y tengo hambre. Yo **comenzamos** a comer el desayuno.

2. Mi papá se levanta y también **quiero** comer.

3. Me voy de la casa y **cierran** la puerta.

4. Voy a la casa de María. Ella **pienso** ir al parque. Nosotros no **pueden** ir a la tienda de ropa los domingos. No abren.

5. Cuando volvemos a la casa, **almuerza** en la casa de María.

6. Yo **piensa** comer sopa y un sándwich.

7. Los hermanos de María **queremos** un almuerzo también.

8. Ellos **pienso** comer espaguetis con gelatina. ¡Qué horror!

R. Whom do you know in your school? Claudia Curiosa, the local reporter, wants to find out.

PARTNER A: You're Claudia. Ask the questions.
PARTNER B: Answer Claudia's questions about the people in your school.

—¿Quién es el director (o la directora)?
—**El director es (el Sr. Martínez).** OR **No sé quién es el director (o la directora).**

1. ¿Quiénes son los conserjes? ¿Cómo se llaman?

2. ¿Hay un enfermero en la escuela? ¿Dónde trabaja?

3. ¿Sabes quién es la secretaria? ¿Cómo se llama? ¿Dónde trabaja?

4. De tus maestros, ¿quién es el más alto? ¿Quién es el más cómico?

5. De tus maestras, ¿quién es la más simpática? ¿Quién es la más impaciente?

6. ¿Tus papás saben quiénes son tus maestros?

¿Puedes describir a esta persona?

ENTRE AMIGOS

Think of someone who works in your school and describe that person. Write four sentences. You can describe their personality, habits, or physical appearance.

When you are finished writing your description, get together with three or four classmates. Take turns reading your descriptions to each other. See if you can guess who each classmate is writing about.

UNIDAD 1

For additional teaching suggestions, see the Unit Plan in the front section of this Teacher's Edition.

¿Cómo pasas el tiempo?

When you're not busy with school or chores, how do you spend your time? Is there a sport that you like to play or watch?

Maybe you have a favorite game, hobby, or other pastime. What do you think kids in places like Puerto Rico and Chile do in their free time?

In this unit, you're going to:

● Learn the names of some popular sports

● Learn the names of different games and pastimes

● Talk about things you play

● Learn about pastimes in Spanish-speaking countries

22 *¡Adelante!*

¿Tocas tú un instrumento?

A ella le encanta leer.

¿Sabes que...?

● Soccer is becoming more popular in the U.S. But in Spanish-speaking countries (and the rest of the world, as a matter of fact), it's been the number-one sport for a long time.

● Kids in Spanish-speaking countries play many of the same electronic games you do—in Spanish, of course!

● Many parks in Spain and Latin America have areas with tables for playing chess, checkers, and dominoes.

Se divierten con los juegos electrónicos.

THE HERITAGE SPEAKER
Invite a heritage speaker to share what he or she knows about words and expressions in Spanish that have to do with playing electronic games.

UNIDAD 1   23

¡HABLEMOS!

¿Qué quieres hacer?

—Raimundo, ¿quieres jugar al tenis?

—No, no puedo. Voy a jugar al fútbol con los muchachos.

EXTENSION
Alter the conversation model, asking the question **¿Qué vas a jugar?** or **¿Qué quieres jugar?**

el tenis

el fútbol americano

ENRICHMENT
You may want to teach **el básquetbol** as well as **el baloncesto**.

el baloncesto

FOR THE NONSPECIALIST
In Spanish, you play "at" something. That is why the verb **jugar** takes the preposition **a** before the noun. Make certain that students use this word as they practice the conversation model.

el fútbol

el béisbol

—¿Es fuerte tu equipo de volibol?

—Sí, somos buenos jugadores.

el volibol

TOWARD CULTURAL UNDERSTANDING
Volleyball is another sport that is played throughout the Spanish-speaking world. Teams from Spain, Cuba, and Argentina have traditionally done well in international competitions.

el equipo

la jugadora

RE-ENTER/ RECYCLE
Divide the class in pairs and have students ask questions using **saber** and the name of a sport—for example: **Julia, ¿sabes jugar al tenis?**

el jugador

Así es... Tennis is a sport played throughout the Spanish-speaking world. Millions of people learn the game on the red clay courts that are typically found in Spain and Latin America. Tennis professionals such as Arantxa Sánchez-Vicario of Spain and Gabriela Sabatini of Argentina are very popular figures in their home countries.

PRACTIQUEMOS

○ **A.** You really like sports. Look at the picture and say that you like that sport.

A mí me gusta el volibol.

1. 1. A mí me gusta el béisbol.

2. 2. ... el fútbol.

3. 3. ... el tenis.

EXTENSION
Ask students to repeat the exercise, this time using the negative form: **A mí no me gusta el volibol.** Ask students to make two columns in their notebooks of sports they like and don't like. Label one **Me gusta** and the other **No me gusta.** Circulate to make certain that students use the correct definite articles.

4. 4. ... el baloncesto.

5. 5. ... el fútbol americano.

B. How many players are there in different sports? Talk about it with a classmate.

PARTNER **A:**   Look at the sport and ask how many players are on a team.

PARTNER **B:**   Answer according to the number.

EX B ANSWERS

1. ¿Cuántos jugadores hay en un equipo de fútbol?

   Hay once jugadores en un equipo de fútbol.

2. ¿... de baloncesto?

   Hay cinco ... de baloncesto.

3. ¿... de fútbol americano?

   Hay once ... de fútbol americano.

4. ¿... de béisbol?

   Hay nueve ... de béisbol.

volibol / 6

—**¿Cuántos jugadores hay en un equipo de volibol?**
—**Hay seis jugadores en un equipo de volibol.**

1. fútbol / 11

2. baloncesto / 5

3. fútbol americano / 11

4. béisbol / 9

RE-ENTER/RECYCLE
If you have not already done so, you may wish to take this opportunity to review the numbers from 1–100. Use the numbers cards that are available in the *Resource and Activity Book*.

ENTRE AMIGOS

It's time to "Name That Sport." Get together with three or four classmates.

EXTENSION
Repeat the *Entre amigos* activity. Have students use the following questions as they draw the pictures out of the bag: **¿Cuándo vas a jugar a/al...? ¿Dónde juegas a/al...? ¿Con quién juegas a/al...?**

Clip as many pictures as you can from old magazines and newspapers. The pictures should show people or things that have to do with the sports that you've learned the names for.

Put the pictures in a bag. Trade bags with another group. Pass the bag around your group and take turns drawing one picture at a time. Show it to the group and say the name of the sport that it shows and whether or not you like that sport.

¡HABLEMOS!

¿Cómo pasas el tiempo?

—¿Quieres jugar a las damas?

—No, quiero probar otro juego.

ASSESSMENT OPPORTUNITIES
Ask students to copy this conversation in their notebooks. Check for correct use of question and accent marks and definite articles.

las damas

los juegos electrónicos

el ajedrez

el dominó

ENRICHMENT
Jugar a can be used with the games on this page; however, **jugar de damas** or, simply, **jugar damas** is frequently used for "to play checkers."

28   *¡Adelante!*

—¿Qué te gusta hacer los fines de semana?

—Bueno, mi pasatiempo favorito es ir de pesca.

ir de pesca

montar a caballo

tocar un instrumento

sacar fotos

ir en bicicleta

cultivar plantas

coleccionar estampillas

PRACTIQUEMOS

○ **A.** What does everyone want to do this weekend? Finish the sentences according to what you see in the pictures.

Tú quieres _____.
Tú quieres ir de pesca.

EX. A ANSWERS

1. Juan quiere _____.

1. Juan quiere sacar fotos.

2. Mari quiere _____.

2. Mari quiere montar a caballo.

3. Yo quiero _____.

3. Yo quiero coleccionar estampillas.

4. Elisa quiere _____.

4. Elisa quiere tocar un instrumento.

5. Javier quiere _____.

5. Javier quiere ir en bicicleta.

6. Ana quiere _____.

6. Ana quiere cultivar plantas.

B. Well, you've learned about quite a few fun things to do! How would you organize them? One way is to think about how many people it takes to do them.

With a partner, set up a chart like this one:

un jugador o una jugadora	dos o más jugadores	dos equipos
tocar un instrumento	el dominó	el volibol

LANGUAGE ACROSS THE CURRICULUM
Health Ask students to recall what they've learned in health class regarding the healthful benefits of different sports. Why do they think these activities are good or bad for them?

Now go through the following list of sports, games, and pastimes you've learned about. Write each one on your chart under the correct heading.

el volibol
coleccionar estampillas
ir en bicicleta
el béisbol
las damas

el tenis
el ajedrez
el baloncesto
sacar fotos
montar a caballo

tocar un instrumento
el dominó
ir de pesca
el fútbol
cultivar plantas

EX. B
ANSWERS
Answers will vary. Here is a list of possible answers:
Un jugador/una jugadora: coleccionar estampillas, ir en bicicleta, sacar fotos, montar a caballo, tocar un instrumento, ir de pesca, cultivar plantas
dos o más jugadores: las damas, el tenis, el ajedrez, el dominó
dos equipos: el volibol, el béisbol, el baloncesto, el fútbol

Keep your chart. As you learn names for other free-time activities, add them to it.

EXTENSION
Ask students to choose partners and prepare a conversation between someone who practices one of the sports or other activities presented in this unit and someone who wants more information on such activities. They might ask why the person likes the activity, when he or she practices, and where it is played or carried out.

ENTRE AMIGOS

What do your classmates like to do in their free time?
Ask two or three classmates what their favorite sports,
games, and pastimes are. Ask each one these three
questions:

¿Cuál es tu deporte favorito?
¿Cuál es tu juego favorito?
¿Cuál es tu pasatiempo favorito?

Report to the class what you found out.

ASSESSMENT OPPORTUNITY
Listen for students' pronunciation of the words in the *Entre amigos* activity.

THE MULTI-LEVEL CLASS
Assign different research projects to students. You may wish to have students find out about individual sports or other leisure activities, and teach the class related vocabulary, such as the names of the playing fields, the equipment used, how players score, etc. If students are more interested in athletics, you may wish to distribute a list of names and have students report on the athletes themselves. You can also have students draw posters illustrating different sports or fun activities.

¿CÓMO LO DICES?

Talking about what you play

Look at these sentences to learn how to talk about playing games and sports.

Singular	**Plural**

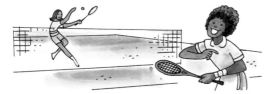

Juego al tenis con mi amiga.

Jugamos al béisbol en la primavera.

¿Juegas al fútbol?

¿Ustedes **juegan** al baloncesto?

Ella **juega** al ajedrez.

Juegan al volibol los sábados.

What do you notice about the way the different forms of **jugar** are spelled? In most of the forms of **jugar**, the **u** changes to **ue**.

UNIDAD 1   33

There is something else to know about using **jugar.** To talk about what you play, always use **a** after **jugar** (or **al** when the **a** is followed by **el).**

Yo no juego a las damas.
Juego al ajedrez.

In English, we use the verb "to play" when we talk about musical instruments. In Spanish, use *tocar* to talk about playing musical instruments. For example: *Toco la guitarra* (I play the guitar).

Los miembros de esta banda tocan instrumentos diferentes.

 ¡ÚSALO!

 **A.** Everyone's having a good time! You and a classmate are talking about what they're doing.

PARTNER A: Ask who's playing the game or sport.
PARTNER B: Answer according to the name or names you see.

—¿Quién juega al tenis?
—**Teresa juega al tenis.**

1. ¿Quién juega al béisbol?

EX. A ANSWERS

1. Juanita juega al béisbol.

2. ¿Quién juega al ajedrez?

2. Diego juega al ajedrez.

3. ¿Quién juega al volibol?

3. Jorge y Sara juegan al volibol.

4. ¿Quién juega al dominó?

4. Mario y Paco juegan al dominó.

EX. B ANSWERS

1. No, ellos no juegan al ajedrez.

   Gabriel y yo jugamos al ajedrez.

2. No, ella no juega al fútbol. Dolores juega al fútbol.

3. No, ellos no juegan al béisbol.

   Lucho juega al béisbol.

B. It's Parents' Saturday at school. On this day, parents play sports and other games with students and school workers. The visitors have a lot of questions for you!

First answer their question with **no,** and then use the names in parentheses to say who does the activity they're asking about.

—¿Juegas al tenis? (Armando)
—**No, no juego al tenis. Armando juega al tenis.**

1. ¿Juegan Jaime y Rosa al ajedrez? (Gabriel y tú)

2. ¿Juega Laura al fútbol? (Dolores)

3. ¿Juegan Miguel y Cathy al béisbol? (Lucho)

4. ¿Juegan Eva y tú a los juegos electrónicos? (Ricardo)

5. ¿Juega Nely al volibol? (Pedro y Rubén)

6. ¿Juega el director al baloncesto? (los maestros)

CULTURE: PHOTOS AND REALIA
Chess is a very popular game in Spanish-speaking countries. Cities usually have at least one park known for chess meets on weekends. The name of the pieces in Spanish are as follows: **el rey** (king), **la reina**

¿A qué juegan?

(queen), **el alfil** (bishop), **el caballo** (knight), **la torre** (rook) and **el peón** (pawn). To capture is **comer, tomar,** or **capturar.**

4. No, nosotros no jugamos a los juegos electrónicos.

   Ricardo juega a los juegos electrónicos.

5. No, ella no juega al volibol.

   Pedro y Rubén juegan al volibol.

6. No, él no juega al baloncesto.

   Los maestros juegan al baloncesto.

C. Here are some other questions you're being asked during Parents' Saturday. Answer with **sí.**

> ¿Juegan las muchachas al fútbol?
> **Sí, las muchachas juegan al fútbol.**

1. ¿Juegan al baloncesto?

2. ¿Juegan tus amigos al volibol?

3. ¿Juegan tus amigos y tú al fútbol?

4. ¿Juegan ustedes al tenis?

5. ¿Juegas al ajedrez?

6. ¿Juegan los muchachos al fútbol americano?

A ellos les gusta jugar al baloncesto.

ENTRE AMIGOS

How about a game of "Q and A Baseball"?

First, as a class, think of as many sentences as you can using **jugar** and the sports, games, and pastimes in this unit. Write them on the board. Use different names and people words, so all the forms of **jugar** are used—for example:

Papá juega al dominó.
Tú no juegas al volibol.

Divide the class into two teams and face each other. You'll need a small, soft ball.

A member of one team starts by tossing the ball to someone on the opposing team, and asks a question based on one of the sentences on the board:

¿Juega Papá al dominó o al ajedrez?

The person with the ball has ten seconds to correctly answer the question. He or she then asks another question and throws the ball back to the first team. Correct answers score one point. For wrong answers or too much time, subtract one point from the team's score.

ASSESSMENT OPPORTUNITY
After playing the game, have students write sentences saying what sport or activity members of their family enjoy.

Set a time limit. The highest score wins!

COOPERATIVE LEARNING
Have students work in small groups to select an athlete and compose a fan letter in Spanish. Arrange groups so they contain students of varying proficiency levels. Students should work together and divide tasks. Several can research Spanish-speaking athletes in the U.S., while others can look up words and begin to put together sentences.

More advanced students can help the others with the organization of the letter. When students are finished, they can read their letter to the class, then mail it.

¿CÓMO LO DICES?

Talking about yourself and others

Look at the forms of the verb **ser.** Which form is new to you? The plural form **somos** is new to students.

Singular	Plural

Soy fuerte.

Nosotras **somos** fuertes.

¿**Eres** tú la prima de Juan?

¿**Son** ustedes amigos de Lidia?

Él **es** un buen alumno.

Ellos no **son** buenos alumnos.

To talk about yourself and one or more other people ("we"), use **somos.**

FOR THE NONSPECIALIST
The **vosotros/as** form of the verb **ser** is **sois**. **Ser** is an irregular verb because all its forms are different. Regular endings aren't added to the stem.

UNIDAD **1**   39

Mi hermana es muy simpática.

¡ÚSALO!

A. You've been taking notes for a composition you're writing about your home and family. Describe each of these people or things.

nuestra casa / grande
Nuestra casa es grande.

1. mi hermano / pequeño   **4.** mi cuarto / bonito

2. mi perro / tímido   **5.** mis papás / fantásticos

3. las cortinas / azules   **6.** mis hermanitas / impacientes

B. A visitor wants you to describe yourself and your friends.

PARTNER A: Ask the question.
PARTNER B: Answer according to the smiling or frowning face.

—¿Son ustedes generosos?
—**Sí, somos generosos.**

1. ¿Son Mario y José tímidos?
1. No, no son tímidos.

2. ¿Eres tú tímido?
2. Si, soy tímido/tímida.

3. ¿Son Paco y tú atléticos?
3. Si, somos atléticos.

4. ¿Son ustedes cómicos?
4. No, no somos cómicos/cómicas.

5. ¿Eres impaciente?
5. No, no soy impaciente.

6. ¿Son todos ustedes buenos amigos?
6. Si, somos buenos amigos.

7. ¿Son simpáticos Pablo, Mario y Martín?
7. Si, son simpáticos.

8. ¿Eres inteligente?
8. Si, soy inteligente.

ENTRE AMIGOS

 Get together with five or six classmates and play "Ten Questions."

Think of someone in class. Write the person's name on a piece of paper. The rest of your group is allowed ten yes or no questions to guess who it is. They must use **ser** in every question, and must address you as if you were that person.

—¿Eres una muchacha?
—No, no soy una muchacha.
—¿Eres alto?
—Sí, soy alto.
—¿Son azules tus ojos?
—No, no son azules.

When someone in the group thinks they have the answer, they can guess who you are:

¿Eres Luis?

But they must be careful. If they guess wrong, you've won! You've stumped the group. You've also won if the group uses up all ten questions and still can't guess who you are!

¡A divertirnos!

 Decide on one favorite activity. It could be a sport, a game, or a hobby. Go through magazines and find pictures related to that activity, or draw some of your own.

Now, draw a cartoon of yourself on a large piece of butcher paper. At the bottom of the paper, write a caption that tells other people what you like:

A Luisa le gusta jugar al baloncesto.

Above or beside the cartoon, draw a big thought balloon with "bubbles" going to it—the kind you see in cartoons when someone is thinking. In the thought balloon, paste the pictures of your favorite activity. Your cartoons will make great classroom decorations, and they'll let visitors know something about you!

EXTENSION
Have students leave off their name and have the class guess who each poster belongs to.

"A Luisa le gusta jugar al baloncesto"

UNIDAD 2

For additional teaching suggestions, see the Unit Plans at the front of this Teacher's Edition.

La comunidad

What does "community" mean to you? For you, it might mean the place where you live—your town, city, or neighborhood.

A community is also people—families, doctors and nurses, teachers, salespeople, police and firefighters...it's even kids in school.

In this unit, you're going to:

● Talk about important jobs in the community

● Name places in the community

● Talk about what you and others are doing right now

● Talk about people you know

● Learn about communities in Spanish-speaking countries

Un bombero

Un terminal de ómnibus en México

¿Sabes que...?

● People who move to another country often live in communities with others from the same place. The U.S. has many Spanish-speaking communities.

● Long before Europeans came, towns and cities in Latin America had *plazas*—big, open places surrounded by buildings.

● In smaller towns in Spanish-speaking countries, a favorite place for people to gather to discuss local events is *la municipalidad* (town hall).

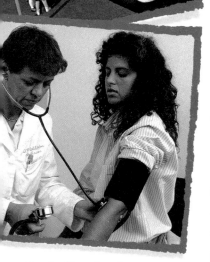

¿Qué dice la doctora?

¿Qué hacen las personas?

—¿Qué hace tu tía Amalia?

—Ella es médica. Trabaja en el hospital.

—¿Y tu primo Jorge?

—Él es bombero.

EXTENSION
To reinforce the vocabulary, ask students specific questions (e.g., ¿Dónde trabajan los bomberos? ¿Dónde examinan los médicos a los pacientes? ¿Quién apaga los incendios?).

el hospital

el médico

la médica

la paciente

el paciente

Los médicos examinan a los pacientes en el hospital.

la estación de bomberos

el bombero

la bombera

Los bomberos apagan incendios.

TPR
Sketch a simple community map on the board. Label locations as **el hospital, el departamento de policía,** and **la estación de bomberos**. Then, using the command **señala,** have students identify these places on the map. First do this individually: **Señala el hospital.** Then use the plural **señalen** to have two or more students at a time point them out.

—¿Dónde trabaja tu papá?
—Trabaja en el departamento de policía.
—¿Qué hace?
—Es policía.

el departamento de policía

la policía

el policía

la gente

Los policías ayudan a la gente.

CULTURE: PHOTOS AND REALIA
In Spanish, a term commonly used for fire engines is **camión de bomberos**. It can also be called **bomba de incendios** or **autobomba**.

Después del incendio

Así es...

Different languages sometimes describe the same job in different ways. The Spanish word *bombero* comes from *bomba* (pump). It gives you the idea of someone who pumps water to put out a fire. What idea do you get from the English word *firefighter*?

PRACTIQUEMOS

○ **A:** These people are visiting your school to talk about what they do. Write each person's job in your notebook.

El Sr. Silva es médico.

1. Srta. Gómez
1. La Srta. Gómez es bombera.

2. Sr. Peña
2. El Sr. Peña es policía.

3. Sra. Castro
3. La Sra. Castro es médica.

4. Sr. Solís
4. El Sr. Solís es bombero.

5. Srta. Agapito
5. La Srta. Agapito es policía.

EXTENSION
You may wish to add pictures of well-known people in your community, such as the mayor (**el alcalde/la alcaldesa**), chief of police (**el/la jefe/a de policía**), and so on.

CULTURE: PHOTOS AND REALIA
Because of the heavy traffic in most Spanish-speaking capitals and other large cities, the motorcycle is often the best way for police officers to get around.

La policía a veces usa motocicletas en su trabajo.

B. Your little sister Manuela is only four. Answer her questions about different jobs.

EX. B ANSWERS
1. ¿Quién trabaja en el departamento de policía?
   El/la policía.
2. ¿Quién examina a los pacientes?
   El médico/la médica.
3. ¿Quién trabaja en la estación de bomberos?
   El bombero/la bombera.
4. ¿Quién ayuda a la gente?
   El/la policía.

EXTENSION

| PARTNER **A:** | You're Manuela. Ask questions about who does each job. |
| PARTNER **B:** | Give the answer. |

apagar incendios — **¿Quién apaga incendios?**
— **El bombero.**

1. trabajar en el departamento de policía

2. examinar a los pacientes

3. trabajar en la estación de bomberos

4. ayudar a la gente

To give this exercise an additional real-life dimension, place magazine or newspaper pictures of real police officers, doctors, and firefighters on a bulletin board or easel.

ENTRE AMIGOS

Time for a game of pantomime! Form small groups and write the names of different occupations on cards.

bombero / bombera	médico / médica
director / directora	conserje
secretario / secretaria	cocinero / cocinera
policía	maestro / maestra

Shuffle the cards. Take turns drawing one card at a time. Act out the occupation. The group has to guess your occupation:

—**¡Eres médica!**   —**¡Eres policía!**
—**No, no soy médica.**   —**Sí, soy policía.**

Remember to use feminine words for girls and masculine words for boys.

¿Qué quieres ser?

—¿Qué quieres ser?

—Quiero ser dueña de una compañía. ¿Y tú?

—Quiero ser vendedor en un almacén.

la compañía

la empleada

la dueña

el dueño

el empleado

Los dueños son los directores de la compañía.
Los empleados trabajan en las oficinas.

el vendedor

el almacén

la vendedora

Los vendedores venden ropa en el almacén.

—¿Qué hacen tu mamá y tu papá?

—Trabajan mucho. Son obreros en una fábrica.

la fábrica

la obrera

el obrero

Los obreros trabajan en la fábrica.

¿Qué quieres ser?

Quiero ser vendedor.

Así es... Many businesses in the U.S. have *Se habla español* (Spanish spoken here) signs in the window. This means that the staff can talk with customers in English or Spanish. People who speak both languages have a valuable skill that can mean extra pay!

PRACTIQUEMOS

○ **A:** You and your friends walk around the community and see different people. Name the occupations of the different people you meet.

Sr. Oteo

El Sr. Oteo es dueño de una compañía.

EXTENSION
Have students practice the use of the indefinite article by asking them to modify the jobs mentioned in Ex. A—for example: **El Sr. Oteo es un dueño simpático.**

1. Sr. Marín

EX. A ANSWERS

1. El Sr. Marín es vendedor.

2. Sra. Solís

2. La Sra. Solís es obrera.

3. Sr. Labarca

3. El Sr. Labarca es empleado.

4. Sr. Santos

4. El Sr. Santos es obrero.

5. Srta. Caldós

5. La Srta. Caldós es vendedora.

6. Sra. Goya

6. La Sra. Goya es dueña de una compañía.

ASSESSMENT OPPORTUNITY
Depending on events in your local news, you may have students write a few sentences reporting a recent news event as though on the scene—for example: **Hay un incendio en el hospital. Toda la gente está bien. Los bomberos apagan el incendio.**

B. There's a big fire at the factory down the street. Call up a friend and describe what you see.

¡Hay un incendio en  !

¡Hay un incendio en la fábrica!

1.  y salen de .

2. y corren a la fábrica también.

3. El policía habla por teléfono al  .

4. examina a . ¡Ella está bien!

C. It's guest-speaker day. You're introducing people from the community to your class. Tell where each person works.

El Sr. Silva es médico. Trabaja en _____ .
El Sr. Silva es médico. Trabaja en un hospital.

1. El Sr. Marín es vendedor. Trabaja en _____ .

2. La Sra. López es obrera. Trabaja en _____ .

3. El Sr. Peña es policía. Trabaja en _____ .

4. La Srta. Gómez es bombera. Trabaja en _____ .

5. La Sra. Castro es dueña de _____ . Trabaja en _____ .

ENTRE AMIGOS

Time to play "Job Talk"! You'll need a ball, and cards with the names of all the occupations you know in Spanish written on them. (You can use the ones you prepared for the first **Entre amigos** in this unit).

Divide the class in two. Face each other. One student draws a card, says the occupation—for example, **el dueño**—and then tosses the ball to someone in the other line.

That student has five seconds to name something related to **el dueño**—the place where **el dueño** works, or something he does, or something he uses, like **el escritorio**. The student then tosses the ball across to someone new. That student must name something else related to **el dueño**, and so on.

If someone says something wrong, repeats what someone else said, or takes too long, he or she sits down, and the other team selects a new occupation. The last person left standing wins!

¿Qué trabajo hace esta señora?

¿Cómo lo dices?

Talking about people you know

FOR THE NONSPECIALIST
When **conocer** is followed by a name or noun that refers to a person, use the personal **a** before the name or noun.

Study these examples of how to talk about knowing people.

—**¿Conoces a** la Sra. Velasco?
—Sí, **conozco a** la Sra. Velasco. Es médica.

—**¿Conocen** ustedes **a** los dueños de la fábrica?
—No, no **conocemos a** nadie de la fábrica.

—¿Quién **conoce al** hombre alto?
—Elena **conoce al** hombre.

A little word comes between **conocer** and the name of a person. What word is it? That's right—it's **a.** Use **a** when you talk about knowing a person.

ENRICHMENT
When acting out the second conversation, make it clear that you are questioning two or more students; then show how one student can use **conocemos** to answer for both **(nosotros/nosotras)** or all **(todos/todas)**.

UNIDAD 2 55

○ **A.** You seem to know all about everybody's business. Tell who knows whom.

> Juan _____ a mi prima Julia.
> **Juan conoce a mi prima Julia.**

1. Mateo y Rogelio _____ a la maestra Ramírez.

2. Tú y yo _____ a un alumno en la clase de ciencias.

3. Roberto _____ a Miriam.

4. Yo _____ al dueño de la fábrica.

5. Ustedes _____ a la familia López.

6. Tú _____ a mi primo Horacio, ¿verdad?

◑ **B.** At a party, you meet a new friend. You're trying to see if you know anyone in common. Work with a partner.

PARTNER A: Ask your friend if he or she knows the person.

PARTNER B: Say that you don't know the person asked about, but that the two people in the clues know each other.

> ¿Raúl Cordero? (mi hermana / su hermana)
> **—¿Conoces a Raúl Cordero?**
> **—No conozco a Raúl, pero mi hermana conoce a su hermana.**

1. ¿Sergio Fuentes? (mi papá y yo / su tío)

2. ¿Jorge Armas? (mi papá / sus padres)

5. ¿Conoces a Carlos
Azcárate?

No conozco a Carlos,
pero mi amigo conoce a
su hermana.

3. ¿Irena Montoya? (mi prima / su hermano)

4. ¿Andrea Martínez? (mis hermanas / su tía)

5. ¿Carlos Azcárate? (mi amigo / su hermana)

C. You're at a party with your parents. People are talking about other people they know. Answer their questions.

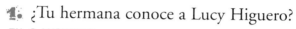

—¿Conoces a Juan Hernández?
—**No, no conozco a Juan.**

1. ¿Tu hermana conoce a Lucy Higuero?

EX. C ANSWERS

1. Sí, conoce a Lucy.

2. ¿Tus hermanos conocen a Ricky Suárez?

2. No, no conocen a Ricky.

3. ¿Ustedes conocen a Lila Calderón?

3. No, no conocemos a Lila.

4. ¿Tu papá conoce al Sr. Figueras?

4. No, no conoce al Sr. Figueras.

5. ¿Tu mamá conoce a la Sra. Figueras?

5. Sí, conoce a la Sra. Figueras.

EXTENSION/RE-
ENTER/RECYCLE
Continue by asking
questions about people in
the school or community—
for example: **¿Conocen al
dueño del almacén?
¿Conoces a la
enfermera?**

6. ¿Conoces al Sr. Lima?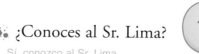

6. Sí, conozco al Sr. Lima.

7. ¿Conoces a Germán y a Gregorio García?

7. No, no conozco a Germán ni a Gregorio.

ENTRE AMIGOS

Use the occupation cards that you used in the first two **Entre amigos** sections of this unit. Everyone should get one card. Sit in a circle and hold your cards so that everyone can see them.

Take turns asking questions with **conocer:**

Marcos, ¿conoces a una vendedora?

Marcos looks for the person holding the **vendedor** card. If it's a girl, he says, **Sí, conozco a una vendedora. Se llama** *(the girl's name)*. If a boy is holding the **vendedor** card, Marcos says, **No, pero conozco a un vendedor. Se llama** *(the boy's name)*.

CULTURE: PHOTOS AND REALIA

De compras

Many young people in Santiago, Chile, as well as in other large cities in Latin America, have adopted t-shirts over traditional shirts as a staple of their wardrobes. you walk down an avenue in any of the major cities, it won't be long before you'll see some young people in t-shirts, many of them with funny or unusual messages in English.

¿Cómo lo dices?

Saying what people are doing right now

Look at these sentences. In each sentence, someone is doing something right now. What's the first verb you see in each sentence? The first verb in each sentence is a form of **estar**.

El obrero **está trabajando.**

Rita **está comiendo.**

Graciela **está subiendo** las escaleras.

El vendedor **está vendiendo** frutas.

In each sentence, **estar** is followed by another word that ends in **-ndo.** Here's how to spell this word:

For verbs that end in **-ar,** like **caminar** and **trabajar,** take away the **-ar** and add **-ando (caminando, trabajando).**

For verbs that end in **-er** (like **comer**) or **-ir** (like **subir**) take away **-er** or **-ir** and add **-iendo (comiendo, subiendo).**

Los coches están pasando por la avenida.

○ **A.** Little Pepito asks people to play with him, but everybody's too busy. Write what the people in the pictures say to Pepito when he asks them to play.

—¿Quieres jugar?
—**No, Pepito. Estoy lavando la ropa.**

EX. A ANSWERS

1. ¿Quiere usted jugar?
1. No, Pepito. Estoy trabajando.

2. ¿Quieres jugar?
2. No, Pepito. Estoy quitando el polvo.

3. ¿Quieres jugar?
3. No, Pepito. Estoy mirando la televisión.

4. ¿Quiere usted jugar?
4. No, Pepito. Estoy cocinando.

B. Now Pepito is asking what different people are doing.

PARTNER A: You're Pepito. Ask what the person is doing.

PARTNER B: Answer according to the words in parentheses.

¿El empleado? (abrir la puerta de la tienda)
—**¿Qué hace el empleado?**
—**Está abriendo la puerta de la tienda.**

1. ¿El maestro? (subir las escaleras)

2. ¿Mi prima? (vender piñas)

3. ¿El obrero? (barrer el piso)

4. ¿La empleada? (comer un sándwich)

5. ¿El dueño de la compañía? (escribir)

C. You can see for miles from your rooftop! What are people doing right now?

Dos policías / ayudar / una señora
Dos policías están ayudando a una señora.

1. Los bomberos / apagar / un incendio

2. La Sra. Martínez / vender / cosas en su garaje

3. Chucho y Carlos / comer / helados

4. Gerardo / barrer / el patio

5. ¡Tú y yo / mirar / a la gente!

EXTENSION
Have students look out the classroom window and tell you what they see people doing.

ENTRE AMIGOS

 Are you a good complainer? With a partner, write six complaints. Here are some examples:

Tenemos hambre.

El piso está sucio.

Los platos no están en la mesa.

When you're finished, join another pair of students. Read them your sentences, one by one. They must tell you that they are doing something right now to solve each problem:

YOU AND YOUR PARTNER: **Tenemos hambre.**

THE OTHER STUDENTS: **Estamos cocinando la cena.**

La familia tiene hambre. El papá está cocinando la cena.

¡A divertirnos!

Clip pictures from magazines or use your own photos to make a Community Collage! The pictures should show people involved in different kinds of activities.

You might include pictures of people in school, playing games or sports, involved in pastimes, getting ready in the morning or going to bed at night, working around the house…. It's up to you!

Paste your pictures in an attractive layout on a large piece of butcher paper or posterboard. Near each picture, write a caption that says what the people are doing. For example:

Las muchachas están jugando al fútbol.

OR

Los alumnos están mirando a la maestra.

Use your Community Collages to decorate your classroom! What activities did your classmates come up with?

Additional teaching suggestions are found in the Unit Plan in the front section of this Teacher's Edition.

Conociendo la ciudad

Even if you don't live in a city, you probably visit one now and then. Cities have many things to offer and fun things to do.

Do you have a favorite city? Which is it? Some of the most beautiful and historic cities in the world are in Spanish-speaking countries.

In this unit, you're going to:

● Learn the names of places in the city

● Discuss ways of getting around in the city and elsewhere

● Find out how to ask for things

● Learn how to give commands, instructions, and directions

● Learn about cities in Spanish-speaking countries

CEDA EL PASO

Un parque de Madrid

La Plaza Mayor de Madrid, capital de España

¿Sabes que...?

● Some of the world's biggest cities are in Latin America. Mexico City has a population of over 17,000,000. Buenos Aires has well over 10,000,000.

● Arabs from northern Africa lived in Spain for centuries. Many of the beautiful buildings, plazas, and gardens you see in Spanish cities like Granada and Valencia were built by the Arabs during this time.

Mujeres en el mercado

¡HABLEMOS!

¿Cómo vamos a ir?

—¿Dónde está la parada de autobús?

—Está en la avenida, cerca del semáforo.

la chofera

el autobús

el taxista

la parada de autobús

el taxi

los semáforos   el coche

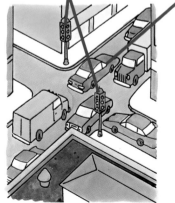

Voy a tomar
el autobús.

la avenida

abrochar los cinturones

FOR THE NONSPECIALIST
Just as we have different colloquial names for things in different parts of the United
States ("pop" vs "soda" or "soft drink," for example), there are different colloquial
names in Spanish-speaking countries. For example, in Puerto Rico and Cuba, **la
guagua** is used instead of **el autobús**. In Mexico, people refer to the bus as **el camión,** and
in Argentina, **el colectivo** or **el ómnibus.**

66   *¡Adelante!*

—¿Cómo vamos a la farmacia? ¿En autobús?

—No, no hay tiempo. Vamos en taxi.

la gasolinera

la farmacia

la calle

TOWARD CULTURAL UNDERSTANDING
In Mexico City, construction workers digging subway tunnels keep finding ancient tools, bones, pottery, and other Aztec remains. In fact, not that many years ago, workers uncovered a major archaeological site very close to the main plaza downtown.

Así es... Most major cities in Spain and Latin America have extensive subway systems. A subway is one of the most efficient ways to serve the millions of people who have to get to one place or another in the city each day. The subway has different names in different countries: *el subterráneo*, *el metro*, and *el subte* are a few.

PRACTIQUEMOS

Regina has written a story about people who know her city well. Look at the pictures and complete the sentences in her story.

 conoce bien la ciudad.

La taxista conoce bien la ciudad.

1. La taxista tiene que y mirar .

2. Ella va en su por .

3. A veces tiene que ir a .

4. conoce la ciudad también.

5. La gente toma en  .

CULTURE: PHOTOS AND REALIA
There are two basic types of taxi service in Mexico City. Big, U.S.-made sedans are available, and they often have an English-speaking driver. They are fairly expensive, however. Much less comfortable are very small sedans and VW Bugs, but they are also much less expensive.

¿Adónde van los taxis?

El Ángel, Paseo de la Reforma, México

ENTRE AMIGOS

What would happen if your Spanish-speaking pen pal came to town for a visit?

With a partner, invent a conversation that might take place at the beginning of such a visit. Your partner should ask questions that a pen pal might ask about your town.

—¿Tu apartamento está sobre una calle
  o una avenida?
—Mi apartamento está sobre una calle.

    —¿Hay una gasolinera en tu calle?
    —No, pero no está lejos.

—¿Conoces bien la ciudad?
—Sí, conozco bien la ciudad.

After your partner asks five questions, switch roles and invent another conversation. Present your conversations to the class.

¡HABLEMOS!

ENRICHMENT
Have students find or take pictures of places in your community that correspond to the vocabulary items.

¿Qué hay en el centro?

FOR THE NONSPECIALIST
The spelling of **rascacielos** is the same for both singular and plural. Only the article or adjective changes.

—¿Hay muchos rascacielos en el centro?

—No, no hay muchos. Nuestra ciudad no es grande.

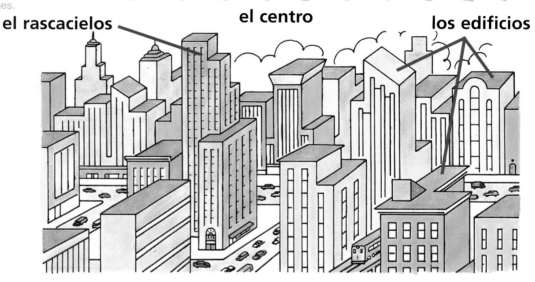

el rascacielos   **el centro**   **los edificios**

la plaza

el teatro

ir a pie

PRESENTATION SUGGESTION
To help students understand **ir a pie,** you might provide sentences such as **Todos los días camino a la escuela. Todos los días voy a pie a la escuela.**

—¿Está cerca el mercado?

—Sí. Vamos a pie.

el estacionamiento

los automóviles

el mercado

¿Es alto este rascacielos?

PRACTIQUEMOS

○ **A.** You're on a class trip to the city. Use the pictures to tell your teacher where everyone is.

Tomás **Carlos**

Ana **Lisa**

Sandra

Diego

EX. A ANSWERS
1. Diego está en la plaza.
2. Elena y Paco están en el teatro.

3. Eva está en el rascacielos.
4. Saúl y Marcos están en el estacionamiento.
5. Pepe está en el mercado.

6. Tomás y Carlos están en el centro.
7. Sandra está en la farmacia.

8. Ana y Lisa están en la parada de autobús.

Pepe

Eva

Saúl **Marcos**

Elena **Paco**

—¿Dónde está Tomás?
—Tomás está en el centro.

1. ¿Dónde está Diego?

2. ¿Dónde están Elena y Paco?

3. ¿Dónde está Eva?

4. ¿Dónde están Saúl y Marcos?

5. ¿Dónde está Pepe?

6. ¿Dónde están Tomás y Carlos?

7. ¿Dónde está Sandra?

8. ¿Dónde están Ana y Lisa?

ir en taxi	ir en autobús	ir a pie
el teatro	el centro	el mercado
la plaza	la farmacia	la parada de autobús
el rascacielos	la escuela	el almacén

EX. B ANSWERS

1. Tu tío va en taxi a la plaza.
2. Vas en autobús al centro.
3. Tu abuelita va a pie al almacén.
4. Tu mamá va en autobús a la escuela.
5. Tu abuelito va en autobús a la farmacia.

EXTENSION
Have students ask each other how they get to different destinations.

—¿Cómo va mi papá a la parada de autobús?
—**Tu papá va a pie a la parada de autobús.**

1. ¿Cómo va mi tío a la plaza?

2. ¿Cómo voy yo al centro?

3. ¿Cómo va mi abuelita al almacén?

4. ¿Cómo va mi mamá a la escuela?

5. ¿Cómo va mi abuelito a la farmacia?

6. ¿Cómo va mi tía al mercado?

7. ¿Cómo van mis primos al teatro?

8. ¿Cómo va mi hermano al rascacielos?

6. Tu tía va a pie al mercado.
7. Tus primos van en taxi al teatro.
8. Tu hermano va en taxi al rascacielos.

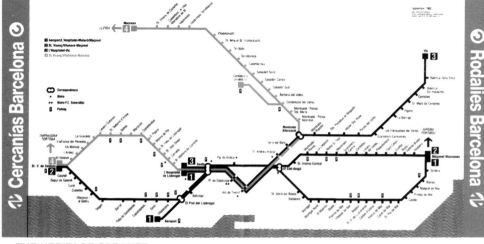

Cercanías Barcelona

Rodalies Barcelona

Las rutas del tren urbano de Barcelona, España

THE HERITAGE SPEAKER
Invite a heritage speaker familiar with a large city in Latin America or Spain to talk about what it's like to get around on the subway system there.

UNIDAD 3   73

ENTRE AMIGOS

 Where are you going? How are you getting there? What are you going to do there? Form a group with four or five classmates and find out.

On index cards, write the names of all the places in a town or city that you've learned so far. Include places such as **la escuela** or **mi casa**. Put these cards in a bag marked "A."

On other cards, write all the ways you've learned to travel, including such ways as **caminar** and **ir en bicicleta**. Put these cards in a bag marked "B."

Sit in a circle. Place bags "A" and "B" in the middle. Take turns. Draw a card from each bag and make up a sentence saying where you're going and how you're getting there:

Voy al parque en taxi.

But that's not all! You must also make a sentence saying what you're going to do at that place—something that makes sense:

Voy a practicar el fútbol.

Return the cards to the bags after each draw. If you are able to make one sentence saying where you're going and how you're getting there, you earn one point. If you can also complete a sentence saying what you're going to do there, you earn an additional two points.

Play three rounds with your classmates. See who has the most points after three rounds.

COOPERATIVE LEARNING
Encourage interaction among students who don't normally interact with each other by grouping students according to how they travel to school or by how far they have to travel to get to school.

74 *¡Adelante!*

¿CÓMO LO DICES?

Giving commands or instructions

Look at these pictures and sentences. In each example, a person is giving a command or instruction to someone. **Doblar** means "to turn."

doblar	**comer**	**abrir**

¡**Dobla** aquí!   ¡**Come** las legumbres!   ¡**Abre** la ventana!

Now compare the first sentence in each pair below with the second one. Which ones are ordinary statements? Which ones are commands or instructions?

Iris siempre **abrocha** el cinturón en el coche.
¡**Abrocha** tu cinturón, Marcos!

THE HERITAGE SPEAKER
Ask heritage speakers to write a list of the most common commands they either give or receive at home. The list can be displayed on the classroom bulletin board and used for role-play activities.

Luis **corre** a la parada de autobús.
¡**Corre,** Daniela! El autobús está en la parada.

Rosa **escribe** en la pizarra.
Pancho, ¡**escribe** en tu cuaderno!

The second sentence in each pair is a command or instruction to someone else. These commands are called "familiar" commands because you can use them with people whom you address as **tú:** members of your family, friends, and kids your own age or younger.

Did you notice what form of the verb is used to give a familiar command or instruction?

To make familiar commands with **-ar, -er,** and **-ir** verbs, simply use the **él / ella** form of the verb.

A. Your mother's not feeling well today, so she's staying in bed. She put you in charge of your younger brothers and sisters. Tell them to do the different tasks.

recoger tus cosas
¡Recoge tus cosas!

1. lavar los platos   **3.** barrer el piso   **5.** limpiar tu dormitorio

2. leer tu libro de ciencias   **4.** abrir el garaje   **6.** sacar la basura

EX. A ANSWERS
1. ¡Lava los platos!
2. ¡Lee tu libro de ciencias!
3. ¡Barre el piso!
4. ¡Abre el garaje!
5. ¡Limpia tu dormitorio!
6. ¡Saca la basura!

Una aventura

○ **B.** Tía Rosa from Ecuador is on the phone giving you some advice. Complete her sentences using the words in parentheses.

_____ muchas legumbres. (comer)
Come muchas legumbres.

EX. B ANSWERS
1. Lee
2. bebe
3. Recoge
4. Estudia
5. Corre
6. escribe
7. come

1. _____ un libro esta semana. (leer)

2. Siempre _____ tres vasos de leche al día. (beber)

3. _____ tus cosas todos los días. (recoger)

4. _____ una hora todos los días. (estudiar)

5. _____ en el gimnasio, no en la casa. (correr)

6. Todas las semanas, _____ a tus primos. (escribir)

7. Siempre _____ el desayuno. (comer)

¡Estudia las ciencias, Julio! Es importante.

CULTURE: PHOTOS AND REALIA
This teacher is conducting a science class in Puerto Rico. Some of these students might later prepare for a career in science at the Universidad de Puerto Rico, known for its research facilities that study cancer and tropical diseases.

ENTRE AMIGOS

 Different situations result in different kinds of commands.

With a partner, choose three people from the list. If you wish, you can use other people besides those in the list.

Tu papá o tu mamá	La maestra o el maestro de español
El chofer del taxi	El vendedor
El maestro o la maestra de educación física	Tu amigo o tu amiga

Invent at least two commands which that person might give. **El vendedor** might say:

> **¡Mira, la camisa te queda muy bien!**
> AND
> **¡Compra dos blusas!**

Take turns giving and obeying the commands for the class. Ham it up! The class will try to guess who is giving the command.

¿CÓMO LO DICES?

Asking for things

RE-ENTER/RECYCLE
Review the conjugation of a regular -er / -ir verb, such as vivir. Use this to help students conjugate irregular verbs, such as pedir.

PRESENTATION SUGGESTIONS
Emphasize that the forms of pedir by themselves mean "ask(s) for"—no other word is needed (namely, por).

Look at these sentences to see how to use the verb **pedir,** which means "to ask for."

Singular	Plural

Siempre **pido** sopa para el almuerzo.

Nunca **pedimos** pescado en el mercado.

¿Qué **pides** para el desayuno?

¿Ustedes **piden** libros a la bibliotecaria?

Él **pide** ayuda a la policía.

Ellas **piden** ayuda a la taxista.

Did you notice that only the **nosotros** form uses the **ped-** part of the verb, and all the other forms use **pid-?** This part of the verb is called the "stem." Verbs with different stems for some forms are called "stem-changing verbs."

Other verbs that also change their stem from **e** to **i** are
servir, which means "to serve," and **seguir,** which means
"to follow."

Singular

	pedir	servir	seguir
yo	pido	sirvo	sigo
tú	pides	sirves	sigues
él ella usted	pide	sirve	sigue

Plural

	pedir	servir	seguir
nosotros, nosotras	pedimos	servimos	seguimos
ellos ellas ustedes	piden	sirven	siguen

¡ÚSALO!

A. Your parents are treating the whole family to dinner. Use
the pictures to tell the waiter what everyone wants.

Mis padres _____  .

Mis padres piden pollo.

EXTENSION
Students may work in small
groups to role-play the situations
in Exs. A and B. Encourage
students to expand the
conversations by asking
questions such as **¿Qué sirven
ustedes para el almuerzo?
¿Qué piden ustedes?
¿Cuándo sirves la cena?**

1. Mi tío _____ .

EX. A ANSWERS
1. pide una hamburguesa.

2. Yo _____ .

2. pido pescado.

3. Mis hermanos _____ .

3. piden zanahorias.

4. Mi hermana y yo _____ .

4. pedimos leche.

5. Mis hermanos y yo _____ .

5. Pedimos maíz.

B. Your best friend's father owns a restaurant. You and your other friends are working there one weekend. Tell your friend's father who is serving the food.

Rafael _____ arroz con pollo.
Rafael sirve arroz con pollo.

EX. B ANSWERS
1. sirve
2. sirven
3. sirvo
4. sirven
5. sirve
6. servimos

1. Isabel _____ café a los policías.

2. Natán y Daniel _____ la cena a los muchachos.

3. Yo _____ hamburguesas y leche a los obreros.

4. Teresa y Rosalía _____ helados a las señoras.

5. Marcos _____ huevos revueltos.

6. Eduardo y yo _____ carne a la dueña.

EXTENSION
Have students use pictures or vocabulary cards to act out the sentences in the exercise.

C. You and your partner are planning your school's annual parade. You're trying to decide who will follow whom in the parade.

EX. C ANSWERS

1. ¿Quién sigue al secretario?

   Yo sigo al secretario.

2. ¿Quién sigue a la bibliotecaria?

   Juana y Gertrudis siguen a la bibliotecaria.

3. ¿Quién sigue a los maestros?

   Tú sigues a los maestros.

4. ¿Quién sigue a Víctor?

   El equipo de béisbol sigue a Víctor.

5. ¿Quién sigue al director de la escuela?

   Todos nosotros seguimos al director de la escuela.

PARTNER A: Ask who is following the first person or people indicated.

PARTNER B: Answer that the people listed after the slash mark are following.

El cocinero / Manuelito —**¿Quién sigue al cocinero?**
—**Manuelito sigue al cocinero.**

1. el secretario / yo

2. la bibliotecaria / Juana y Gertrudis

3. los maestros / tú

4. Víctor / el equipo de béisbol

5. el director de la escuela / todos nosotros

¿Cómo lo dices?

Talking about directions

Look at these words for giving directions. What direction does each one indicate?

a la izquierda

derecho

a la derecha

Now look at some commands and instructions that use these words.

¡Dobla a la izquierda!

Dobla a la derecha, por favor.

Sigue derecho por esta calle.

Abre la ventana a la derecha.

○ **A.** Gisela Márquez wants to go to the Plaza Hernández. Use the map to give her directions.

EX. A ANSWERS

1. derecho
2. a la izquierda
3. a la derecha (or: derecho)
4. a la izquierda
5. a la derecha
6. derecho

Dobla _____ en la avenida Cisneros.
Dobla a la derecha en la avenida Cisneros.

1. Sigue _____ por la avenida Cisneros.

2. Dobla _____ en la avenida Arias.

3. Pasa _____ de la Plaza Colón.

4. Dobla _____ en la avenida Castellanos.

5. Dobla _____ en la calle Ochoa.

6. Sigue _____ por la calle Ochoa. ¡Y ya está allí!

EXTENSION
Have groups of students set up paths for other students to travel.

B. Now Gisela would like to get from the Plaza Hernández to the theater. Take turns with a partner giving directions. Use the map on the previous page. Here's a start:

EX. B ANSWERS
Answers may vary. Be sure students' directions lead from the **Plaza Hernández** to the **teatro**.

Dobla a la derecha en la calle Córdoba...

ENTRE AMIGOS

Together with a partner, write a short narrative about a trip you're both going to take to the city. Tell where you're going, how you're going to get there, and what you're going to do.

Include what you're going to do first, what you're going to do after that, and what you're going to do last. When you finish, share your story with another pair.

Un policía
dirige el tráfico.

¿Es bonita esta ciudad?

Queremos ir
al centro.

¡A divertirnos!

Are you ready to give some real directions in Spanish?

Think of a place in the neighborhood around your school. It should be a place that you can get to in ten minutes or less. Don't tell anyone the place you picked. You're going to write down directions that will get a classmate there.

Use the front door of your school as a starting point. Write your directions as a list, one thing to do per line. You can use landmarks such as parks, stores, or buildings, as well as street names.

Dobla a la derecha en la calle Cherry.
Sigue derecho hasta el parque.
Dobla a la izquierda en la avenida Park.
En la calle Gordon...

You may have to follow the route yourself after school to make sure you've got your directions right. Trade directions with a partner. After school, with your teacher's permission, follow the directions you get and see where they take you. Report what happens to the rest of the class.

ASSESSMENT OPPORTUNITIES
You may use this activity and the *Entre amigos* on the previous page as a means of informally assessing students' overall assimilation of the unit's vocabulary and language structures.

UNIDAD 4

For additional teaching suggestions, see the Unit Plan in the front section of this Teacher's Edition.

El transporte de larga distancia

EXTENSION
Help students name things in the pictures with words in Spanish they already know. Point to pictures and ask yes/no and comprehension questions: **¿Es un puerto o un aeropuerto?**

PRESENTATION SUGGESTIONS
Read the photo captions aloud as the students follow along in their books. Introduce new vocabulary and then check comprehension by going around the room and asking students to identify different key words in the photos, such as **barco**, **bananas**, **tren**, etc.

THE HERITAGE SPEAKER
Have the heritage speakers explain what bus and train travel are like in their countries of origin. Encourage their classmates to ask questions.

What different ways have you traveled in your lifetime? You've traveled by car and probably by bus, and maybe you've flown in an airplane.

What about trains and ships? In Spain and parts of South America, rail travel is one of the most common ways to get from city to city.

COOPERATIVE LEARNING
Divide the class into groups of four. Have students imagine they are in New York and they have to plan a trip to Los Angeles. Assign each student a different form of transportation: plane, ship, bus, and train. Have them create brochures promoting their form of transportation. When finished, post brochures around the classroom.

In this unit, you're going to:

● Talk about long-distance transportation

● Learn the names of countries and continents

● Identify some of the countries where Spanish is spoken

● Talk about your nationality and that of Spanish-speaking people

86 *¡Adelante!*

Un barco cerca del puerto de San Juan, Puerto Rico

CULTURE: PHOTOS AND REALIA
(top photo) El Morro fortress guards the entrance to the bay of San Juan, Puerto Rico. In colonial times, the fortress offered protection from pirate attacks.
(bottom photo) Different words are used for bananas in different Spanish-speaking countries. In many countries, they are called **bananas** or **bananos**; Mexicans and Cubans call them **plátanos**, while Puerto Ricans refer to them as **guineos**.

Los pasajeros salen del avión.

¿Sabes que...?

● When traveling by bus or train in Latin America, you often can buy food and drinks from people who sell to you through your window at bus stops and train stations.

● Spain has a fast, modern railroad system. Long-distance trains have TVs, dining cars, game rooms, and play areas for little kids!

Se cargan bananas.

¡HABLEMOS!

THE HERITAGE SPEAKER
Have heritage students bring in realia such as ticket stubs from a train, bus, or airplane. Have them talk about their point of departure, their destination, and the reason they took that particular form of transportation.

¿Estás listo para salir?

—¿A qué hora sale el tren?

—A las siete. Tengo que estar en la estación de ferrocarriles a las cinco y media.

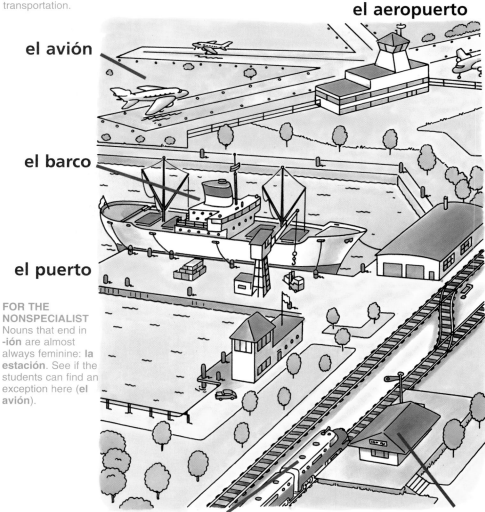

el aeropuerto

el avión

el barco

el puerto

FOR THE NONSPECIALIST
Nouns that end in **-ión** are almost always feminine: **la estación**. See if the students can find an exception here (**el avión**).

el tren

la estación de ferrocarriles

—¿Cuáles son los países de la América del Norte?

—Canadá, los Estados Unidos y México son los países de la América del Norte.

LA AMÉRICA DEL NORTE

Canadá

Estados Unidos

México

TOWARD
CULTURAL UNDERSTANDING
Remind students that Mexico is part of
North America. You might also tell students that
the people from the U.S. are **estadounidenses**,
and Canadians are **canadienses**.

Así es. . . The Panama Canal is the busiest and perhaps the most important shortcut in the world. Without it, ships would have to go all the way around the tip of South America in order to travel between the Atlantic and Pacific Oceans. Can you find it on the map on page 93?

PRACTIQUEMOS

○ Esperanza has received three postcards from friends on vacation. Look at the pictures and help her figure out what her friends have written.

Estoy en  **.**

Estoy en un autobús.

1.

¡Hola, Esperanza!

Estoy en

En quince minutos

sale para México.

Adiós, Juan

Esperanza Hira
1943 West 107th
Miami, Florida L

Aéreo

¡Esperanza!

Mi familia y yo estamos en Canadá. Mañana tomamos

a los Estados Unidos. Tenemos que estar en

a las siete de la mañana.

Hasta pronto, Lucía

Esperanza,
Estoy en   . ¡Hace

Es
194
Mia

muy buen tiempo! Voy en

grande de

Puerto Rico a Venezuela.

Hasta luego, Ricardo

3.

90 *¡Adelante!*

ENTRE AMIGOS

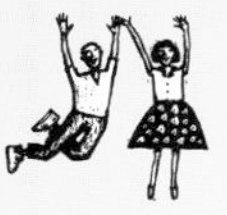

With a partner, write a postcard like the ones in the exercise. Decide on a place you're traveling to. Mention how and when you're planning to travel. Put in any extra details you think might be fun or interesting.

Trade postcards with other pairs of students to see what they had to say. Talk about the postcards with your classmates.

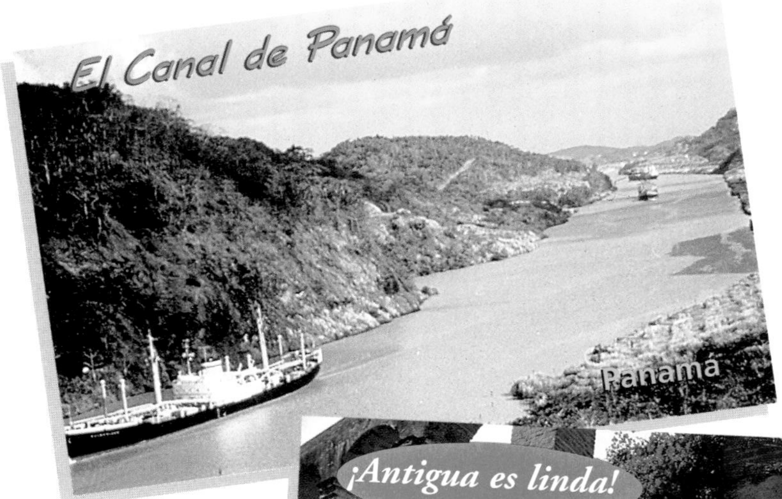

El Canal de Panamá

Panamá

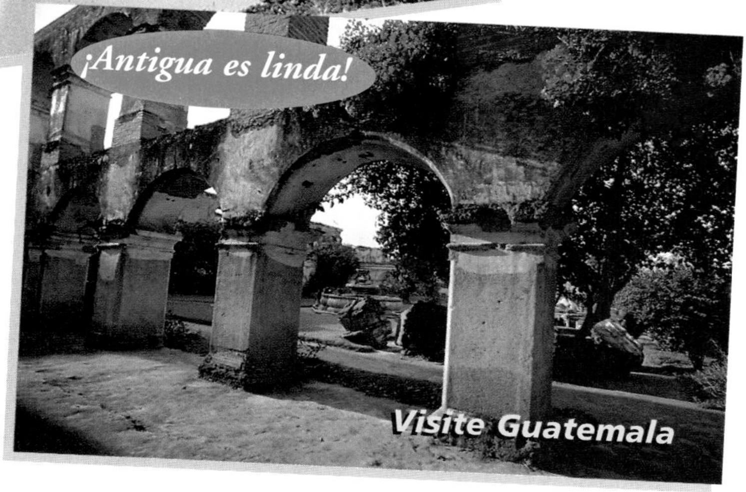

¡Antigua es linda!

Visite Guatemala

¡HABLEMOS!

OVERHEAD TRANSPARENCY 13

¿En qué países hablan español?

—¿Dónde está Bolivia?

—Está en la América del Sur.

—¿Hablan español en Bolivia?

—¡Claro que sí!

LA AMÉRICA DEL SUR

Colombia

Venezuela

Ecuador

Brasil

Perú

EXTENSION
Have the students trace the outlines of the countries to make maps like those on pp. 92 and 93. Then have them fill in the names of the countries without referring to their books. When the students finish, tell them to compare maps with a partner. You might also draw map outlines on the board. Then ask different students **¿Dónde está** (name of country)? Have them come to the board and write in the name in the appropriate place.

Bolivia

Paraguay

Chile

Uruguay

Argentina

92   *¡Adelante!*

LA AMÉRICA CENTRAL

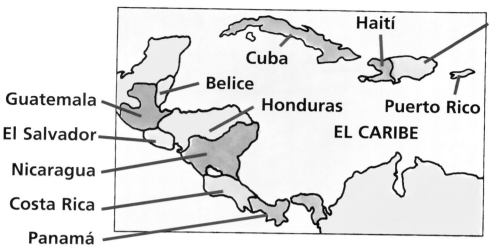

Haití

República Dominicana

Cuba

Belice

Guatemala

Honduras

El Salvador

Puerto Rico

Nicaragua

EL CARIBE

Costa Rica

Panamá

EUROPA

Francia

España

Portugal

ÁFRICA

ANGUAGE ACROSS
HE CURRICULUM
eography
ave students use
ases and encyclo-
dias to identify the
pitals of the Spanish-
eaking countries. Tell
em to write the names
the capitals on their
aps in the appropriate
aces. You can also
ve the students work
gether to find an
portant piece of
ormation about the
pitals. Partners could
n tell the class what
y've learned.

Así es. . . . When you look at a map of the world, you may be used to seeing the U.S. in the center. World maps made in other countries, however, often show those countries in the center. If you bought a map in Spain, for example, you might find Spain in the center and the U.S. way over to one side.

PRACTIQUEMOS

The Explorers' Club is gathering information about foreign countries and needs your help.

PARTNER A: You're with the Explorers' Club. Ask the questions.

PARTNER B: Answer the questions. Use a map if you need help.

—¿Qué país está más cerca del Canadá? ¿México o los Estados Unidos?
—**Los Estados Unidos está más cerca del Canadá.**

ANSWERS

1. Cuba está más cerca de Puerto Rico.
2. Nicaragua está más cerca de México.
3. El Perú está más cerca de Bolivia.
4. La Argentina está más cerca de Chile.
5. Guatemala está más cerca de Paraguay.
6. Belice está más cerca de Venezuela.
7. Panamá está más cerca de Colombia.
8. Honduras está más cerca de los Estados Unidos.

1. ¿Qué país está más cerca de Puerto Rico? ¿Cuba o España?

2. ¿Qué país está más cerca de México? ¿Bolivia o Nicaragua?

3. ¿Qué país está más cerca de Bolivia? ¿Venezuela o el Perú?

4. ¿Qué país está más cerca de Chile? ¿Costa Rica o la Argentina?

5. ¿Qué país está más cerca de Paraguay? ¿Guatemala o el Canadá?

6. ¿Qué país está más cerca de Venezuela? ¿México o Belice?

7. ¿Qué país está más cerca de Colombia? ¿Panamá o Chile?

8. ¿Qué país está más cerca de los Estados Unidos? ¿Honduras o el Ecuador?

THE MULTI-LEVEL CLASS
Have less-proficient students write down and then pronounce the names of all the countries they learned in this unit. Challenge more-proficient students to refer to a map or globe and state the locations of the countries in the appropriate continent or region.

ENTRE AMIGOS

Play a game with two or three classmates. See how well you know the countries and continents.

Make one set of cards with the names of all the countries you learned in this unit. Put them face down in a pile. Now make two sets of cards for their continents or regions: **La América del Norte, La América del Sur, Europa, La América Central** and **El Caribe.** Put these cards face down in a second pile.

One player starts by taking a card from both piles. He or she then makes a sentence indicating whether the country is or isn't on that continent or in that region:

ASSESSMENT OPPORTUNITY
After students play the game, shuffle and hand out two cards to each student again. This time, have them read statements as they did in the game, and record them for their portfolios.

El Perú está en la América del Sur.
Honduras no está en Europa.

The player receives one point for a correct statement. Keep taking turns, discarding the country cards but returning the region and continent cards to the bottom of the pile. When there are no more country cards, count points to see who wins. (Keep your country cards. You'll use them again later in this unit.)

CULTURE: PHOTOS AND REALIA
A national holiday in Mexico, **Muchos países se representan en el festival "Cinco de Mayo" en San Francisco.**

Cinco de Mayo has become a day of celebration for Hispanic-Americans in many places in the U.S.

¿Cómo lo dices?

RE-ENTER/RECYCLE
Remind students that the names of languages (**inglés**, **español**, **portugués**, etc.), are not capitalized in Spanish unless, of course, they are the first word in a sentence.

Naming countries and nationalities

Look at these pairs of sentences. The names of countries appear in the first sentences. The names of nationalities appear in the second.

Sebastián es de **Chile**. Es **chileno**.

Tú eres de **Venezuela**. Eres **venezolana**.

Somos de **los Estados Unidos**. Somos **estadounidenses**.

Jorge y Felipa son de **Bolivia**. Son **bolivianos**.

Ellos son de **Costa Rica**. Son **costarricenses**.

Did you notice that when you write the name of a country, you use a capital letter, and when you write the name of the nationality, you use a small letter?

Look at the sentences with nationalities again. The words for nationalities are just like many other descriptive words. The ones that end in **-o** are used for males and the ones that end in **-a** are used for females. When you're talking about more than one person, you put an **-s** at the end of the word.

What did you notice about how to talk about where someone is from? What word do you use with the form of the verb **ser** and the name of the country?

Now read this list of countries. What words come before the names of these countries?

la Argentina   **el** Paraguay
el Brasil   **el** Perú
el Ecuador   **la** República Dominicana
los Estados Unidos   **el** Uruguay

The names of some countries take one of the definite articles (**el, la, los, las**), and the names of other countries don't. There is no set rule. The best way to learn is to practice saying them a few times.

FOR THE NONSPECIALIST
In Spanish, the abbreviation for the
United States is EE.UU.

**Esta señorita
es mexicana.**

¡ÚSALO!

EX. A ANSWERS
1. mexicano
2. puertorriqueña
3. peruano
4. española
5. uruguaya
6. argentino
7 estadounidense

A. Your school is sponsoring a week-long **Fiesta Internacional.** Introduce some of the foreign visitors. Complete each introduction with the correct nationality.

Raúl y Lola son de Bolivia. Él es boliviano. Ella es _____.
Ella es boliviana.

1. Carmelita y Álvaro son de México. Ella es mexicana. Él es _____.

2. Chico y Taña son de Puerto Rico. Él es puertorriqueño. Ella es _____.

3. Beatriz y Fernando son del Perú. Ella es peruana. Él es _____.

4. Carlos y Adriana son de España. Él es español. Ella es _____.

5. Ignacio y Diana son del Uruguay. Él es uruguayo. Ella es _____.

6. Julia y Luis son de la Argentina. Ella es argentina. Él es _____.

7. David y Linda son de los Estados Unidos. Él es estadounidense. Ella es _____ también.

EXTENSION
Have students practice using the verbs **hay**, **viven**, and **son** along with the names of countries and nationalities. (They can also practice the capitalization rule for countries and nationalities in this way.) Have them work in pairs to come up with as many sentences as possible.

B. Help prepare a friend to introduce visitors at **La Fiesta Internacional,** too.

EX. B ANSWERS
1. Pepe es guatemalteco. ¿De dónde es? Él es de Guatemala.
2. Bárbara es salvadoreña. ¿De dónde es? Ella es de El Salvador.
3. Yolanda y Mario son bolivianos. ¿De dónde son? Ellos son de Bolivia.
4. Marcos es chileno. ¿De dónde es? Él es de Chile.
5. Paula y Ana son paraguayas. ¿De dónde son? Ellas son del Paraguay.
6. Pablo es costarricense. ¿De dónde es? Él es de Costa Rica.

PARTNER A: Look at the name(s) and nationality. Tell the nationality, and ask where the people are from.

PARTNER B: Say the country the person or people are from.

Mireya y Roberto / ecuatorianos
—**Mireya y Roberto son ecuatorianos. ¿De dónde son?**
—**Ellos son del Ecuador.**

7. Cathy es canadiense. ¿De dónde es? Ella es del Canadá.

8. Rico y Hugo son dominicanos. ¿De dónde son? Ellos son de la República Dominicana.

1. Pepe / guatemalteco
2. Bárbara / salvadoreña
3. Yolanda y Mario / bolivianos
4. Marcos / chileno
5. Paula y Ana / paraguayas
6. Pablo / costarricense
7. Cathy / canadiense
8. Rico y Hugo / dominicanos

FOR THE NONSPECIALIST
The definite article **el** is used with "Canada": **el Canadá.**

ENTRE AMIGOS

Find the country cards you made in the previous **Entre amigos** activity. Pass them out so that everyone in the class has at least two.

Your teacher will point to someone in the class. That person has to say the name of an object—for example, **un zapato** or **una regla**—or say a name that refers to a person—for example, **una abuela** or **un chofer.**

Now your teacher will point to a second person. That person shows one of the country cards, and says that the object or person is of that nationality: **Un zapato venezolano.**

Your teacher will keep pointing to other pairs of students. Each time, the second student must add one number to the object or person chosen.

Un zapato venezolano,
dos reglas chilenas,
tres directores argentinos...

How fast can you get it going?

¿Cómo lo dices?

Talking about traveling

Look at these sentences to see how to use the word **en** to talk about how people are traveling.

Vamos a México **en** avión.

Voy al centro **en** tren.

Van a Puerto Rico **en** barco.

EXTENSION
Have students practice using **en**. Tell them to make up sentences about trips they have taken or are going to take. Then have them make up statements about the location of things.

En allows you to connect where people are going with how they are going. You've seen the word **en** before. It has other uses besides talking about how people travel.

El Sr. López está **en** el coche.

La sal está **en** la mesa.

Me voy de la casa **en** dos minutos.

Hace frío **en** el invierno.

Van a Segovia en tren.

A. You've won a free trip all around Latin America! You're using all types of transportation. Look at the pictures and say where you are at the moment.

Estoy en la estación de ferrocarriles.

1.

2.

3.

EX. A ANSWERS
1. Estoy en el aeropuerto.
2. Estoy en la parada de autobús.
3. Estoy en el estacionamiento.
4. Estoy en el puerto.
5. Estoy en la estación de ferrocarriles.

4.

5.

B. Now tell how you are going to get where you're going. Use the place and method of transportation to answer.

EX. B ANSWERS
1. Voy al Ecuador en avión.
2. Voy a Bolivia en autobús.
3. Voy al Paraguay en coche.
4. Voy a las Islas Galápagos en barco.
5. Voy al Uruguay en tren.

Perú / tren
Voy al Perú en tren.

1. Ecuador / avión

2. Bolivia / autobús

3. Paraguay / coche

4. Islas Galápagos / barco

5. Uruguay / tren

ENRICHMENT
Have students do the exercise again, but this time have them use other forms of the verb **ir**.

UNIDAD 4   101

ENTRE AMIGOS

Read this passage about train travel in Latin America.

> En muchos países los trenes son un medio de transporte importante. Entre ciudades la gente toma los trenes de una ciudad a otra para visitar a su familia, ir de vacaciones, o por razones de trabajo. En las ciudades, la gente puede tomar el metro. El metro es un tren subterráneo. La gente que no vive en la ciudad toma el tren también. Cada día, el tren lleva a la gente a la ciudad, a las tiendas y a las escuelas.

Now get together in a group with several classmates. Talk about the article, then compare it with train travel in the U.S. Look at a good map or atlas of the U.S. Plan a train trip through Florida, then travel by boat over to Texas, and then take the train again all through the southwestern states: New Mexico, Arizona, and Nevada. Your trip will end in California.

Plan a route together through these places. As you do, see how many names of towns, rivers, and mountains you can find that are in Spanish. How many of these Spanish names can you find in a Spanish-English dictionary? Tell the rest of the class what the names mean in English.

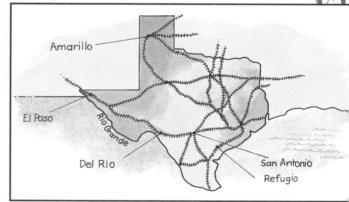

ASSESSMENT OPPORTUNITY
You might record or videotape group presentations for student portfolios.

102   ¡Adelante!

¡A divertirnos!

 Work in a small group with some classmates to help make a map of the Spanish-speaking world for your classroom wall.

Your teacher will help divide the work among the different groups in your class. Decide which continents and regions should be included. You can paint the map on butcher paper or posterboard. Or maybe you can try cutting individual countries out of different-colored construction paper and fitting them together.

Your map should include one or two major cities in each country or state. You can also add things like important rivers, lakes, and mountains.

Use the library's encyclopedias or your own geography books to find out important facts about the country or countries your teacher assigns you. With your small group, write up a mini-report and paste it in or next to your country on the map.

You and visitors to your classroom will learn a lot from your map!

LANGUAGE ACROSS THE CURRICULUM
Social Studies Have students find out about different types of map projections. Encourage each group to choose a different one. You might even suggest creating a map with south pointing up.

UNIDAD 5

Additional teaching suggestions are found in the Unit Plan in the front section of this Teacher's Edition.

¡De viaje!

Do you like to travel? What kinds of places do you like to visit? Have you ever traveled to another country?

What better way to learn about other places and people than to go there and be with them!

In this unit, you're going to:

- Talk about travelers and people in the travel business
- Talk about planning a trip
- Learn the names of different places you can travel to
- Discuss what you and others are doing right now
- Learn about tourist attractions in Spanish-speaking countries

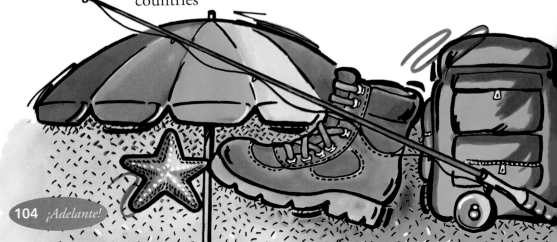

Las ruinas incas de Machu Picchu, Perú

Machu Picchu, near Cuzco, Peru, is a complex of 200 buildings, including temples, homes, baths, and guardhouses, set 2,000 feet above the Urumbamba River. It was built by the Incas.

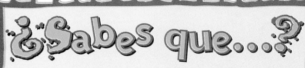

Un crucero llega al puerto.

¿Sabes que...?

● Latin America offers many sights: snowy mountains, steamy jungles, tropical beaches, and deserts.

● If you travel to Spain, you'll find that they have four languages, not one: *catalán*, *gallego*, *vasco*, and *castellano* (the one you're learning).

● The highest mountain in the Americas is Mount Aconcagua, which borders Chile and Argentina. It's about five miles (22,834 feet) high!

Una agencia de viaje

¡HABLEMOS!

¿Adónde vamos a viajar?

—¿Adónde quieren viajar los viajeros?

—Ella quiere viajar a la selva. Él quiere viajar a las montañas.

ENRICHMENT
Introduce the word la sierra as a synonym for la montaña. El monte may refer to a single mountain ("Mount ...") or to a patch of land covered by trees and shrubs.

la selva

la agencia de viajes

las montañas

el volcán

la viajera

el río

el viajero

el valle

el agente de viajes

RE-ENTER/RECYCLE
Ask questions using previously learned vocabulary—for example: ¿Dónde quieres viajar? ¿Cómo quieres viajar, en avión, en tren o en autobús? ¿En qué mes te gusta viajar?

—¿Vas a hacer un viaje con tu familia?
—¡Sí, vamos a Caracas, Venezuela!

Hay muchos volcanes
en Guatemala.

Así es...

If you travel by air from Bogotá, Colombia, to Santiago, Chile, be sure to sit on the left side of the plane. If it's a clear day, you'll get a beautiful view of the snow-capped Andes mountains the whole way.

PRACTIQUEMOS

You're curious about where these different people are going on their vacations. Find out by asking.

PARTNER A: Ask where the different people are traveling.

PARTNER B: Answer according to the picture.

—¿Adónde va Marta?
—Marta va al río.

Marta

1. Eduardo

3. Isabel y tú

2. José y Timoteo

4. Ustedes

ENTRE AMIGOS

Form a group with two other classmates. Role-play two would-be travelers talking to a travel agent. Create a conversation about the places in the pictures.

If you were a travel agent, you might ask questions like these:

¿Adónde quieren ir ustedes?
Señor, usted quiere viajar a las montañas, ¿verdad?

Practice your conversations and present them to the class.

THE MULTI-LEVEL CLASS
Try to group more-proficient students with less-proficient ones. If groups have difficulty starting, you may provide them with some additional starter questions—for example: ¿En qué estación quiere viajar? ¿Cómo prefiere viajar—en avión, tren, barco, autobús o coche? ¿Le gustan las montañas?

¿Quieres viajar a la selva tropical?

CULTURE: PHOTOS AND REALIA
Costa Rica has developed a model system to protect its rain forest. Large sections of the country have been set aside as national parks. Some sections of these parks are open to visitors, attracting tourists from all over the world. Ecotourism, as this type of tourism is called, helps pay for the cost of maintaining the parks.

¡HABLEMOS!

RE-ENTER/RECYCLE
Ask questions for daily warm-up and closing, using previously learned vocabulary. Ask **¿Cuánto cuesta/cuestan?** questions. Pick up classroom objects, for example, and ask **¿Cuánto cuesta (un cuaderno)?**

¿Cuánto cuesta el viaje?

—Señorita, ¿cuesta mucho un viaje a la playa?

—No, no cuesta mucho. Cuesta seiscientos dólares.

la agente de viajes

el desierto

la playa

el lago

descansar

el billete

costar

pagar

ENRICHMENT
El boleto is also used throughout much of Latin America to mean "ticket."

—¿Cómo son las playas de México?

—México tiene playas muy bonitas, señor.

**En México, puedes ir de pesca en el Océano Pacífico
o en el Golfo de México.**

Así es...

One of the driest places in the world is the Atacama Desert in northern Chile. Some places in the desert go years without rain. Northwest Mexico also has some very arid regions, which make the blue waters of the Pacific Ocean that lap its shores all the more inviting!

PRACTIQUEMOS

A. The Hernández family can't decide where to go on vacation. They've decided to visit a travel agency. See how their visit went. Complete the sentences with **a** or **b.**

> La familia Hernández va a una _____.
> a. selva   b. agencia de viajes
> **La familia Hernández va a una agencia de viajes.**

1. Los papás hablan con la _____.
a. agente de viajes   b. viajera

2. EL PAPÁ: Trabajamos mucho todos los días. Yo quiero _____.
a. descansar   b. pagar

3. LA MAMÁ: Nuestros hijos quieren nadar. Ellos quieren ir a _____.
a. un volcán   b. un lago

4. LA AGENTE: ¿Piensan _____ muy lejos?
a. pagar   b. viajar

5. EL PAPÁ: Sí. ¿Cuánto va a _____ un viaje a España?
a. costar   b. pagar

6. LA AGENTE: ¿Cuántos _____ van a ir?
a. valles   b. viajeros

7. LA MAMÁ: Cinco van a viajar. Tenemos que comprar cinco _____.
a. agencias   b. billetes

8. LA AGENTE: Cinco billetes a España cuestan seis mil _____.
a. dólares   b. carteles

B. If you were a travel agent, what kinds of travel suggestions would you make?

Suggest a place to visit from the list, depending on what each friend says.

el lago	las montañas	el desierto
la playa	la selva	el valle

Alicia: Quiero descansar. También quiero nadar. ¿Adónde puedo ir?
¿Por qué no vas a la playa?

EX. B ANSWERS
1. ¿Por qué no vas a las montañas?
2. ¿Por qué no vas al desierto?
3. ¿Por qué no vas a la selva?
4. ¿Por qué no vas al lago?

EXTENSION
Continue the activity by having volunteers state what activities they enjoy, while others suggest places they should visit.

1. Edilberto: Quiero ver un volcán y un valle. ¿Adónde puedo ir?

2. Juanito: Quiero ir a un lugar donde hace mucho calor. También me gusta mucho el sol. ¿Adónde puedo ir?

3. Mariela: Me gustan mucho las plantas. Quiero sacar fotos de plantas y animales. ¿Adónde puedo ir?

4. Esteban: Me gusta mucho nadar y me gustan las playas pequeñas. ¿Adónde puedo ir?

Lago Verde, Chile

CULTURE: PHOTOS AND REALIA
Chile has a region of beautiful lakes called **Los Lagos.** It is known for its snow-capped mountains, clear lakes, and wooded hillsides. The color of the lakes ranges from crystal to green to blue. This area is a favorite destination for tourists.

ENTRE AMIGOS

Ask five different people **¿Dónde quieres pasar las vacaciones?** *(Where do you want to spend your vacation?)* Be sure to record their answers.

—**¿Dónde quieres pasar las vacaciones?**
—**Quiero pasar las vacaciones en la playa.**

Also ask them how much they think a trip to their destination would cost (in dollars):

—**¿Cuánto cuesta un viaje a la playa?**
—**Cuesta ochocientos dólares.**

Now get together in a small group and report your findings:

Ana quiere ir a la playa. El viaje va a costar ochocientos dólares.

Una playa solitaria

THE HERITAGE SPEAKER
Call on heritage speakers whose countries of origin include beach areas. Ask them to tell the class how much they think it costs to travel and stay there for a week.

¿Cómo lo dices?

Talking about things you do

You've already learned many regular **-ar, -er,** and **-ir** verbs. When you talk about things that you do or about things that are going on right now, you say that the verb is in the "present tense."

THE MULTI-LEVEL CLASS
Call on students to review verbs and endings with the class. Have other students write sentences on the chalkboard as an example of each verb.

Look at this chart to review some regular **-ar, -er,** and **-ir** verbs in the present tense.

Singular			
	visitar	**correr**	**recibir**
yo	visit**o**	corr**o**	recib**o**
tú	visit**as**	corr**es**	recib**es**
él ella usted	visit**a**	corr**e**	recib**e**

Plural			
nosotros, nosotras	visit**amos**	corr**emos**	recib**imos**
ellos ellas ustedes	visit**an**	corr**en**	recib**en**

FOR THE NONSPECIALIST
The **vosotros/-as** forms of these verbs are as follows: **visitar–visitáis, correr–corréis, recibir–recibís.**

A. Before you and your family can leave on vacation there are things you have to do. Use the information to say what everyone is doing.

Yo / escribir a mi maestra
Yo escribo a mi maestra.

1. Jorge / lavar la ropa

2. Jaimito / barrer el piso de la sala

3. Mamá / pasar la aspiradora

4. Abuela y Jorge / quitar el polvo

5. Papá / secar la ropa

6. Papá y Mamá / hablar con el agente

7. Luisa y yo / correr a la tienda

8. nosotros / comer algo

9. Papá y Jorge / sacar la basura

10. nosotros / comprar los billetes

EX. A ANSWERS

l. Jorge lava la ropa.

2. Jaimito barre el piso de la sala.

3. Mamá pasa la aspiradora.

4. Abuela y Jorge quitan el polvo.

5. Papá seca la ropa.

6. Papá y Mamá hablan con el agente.

7. Luis y yo corremos a la tienda.

8. Nosotros comemos algo.

9. Papá y Jorge sacan la basura.

10. Nosotros compramos los billetes.

Arte cerámico de Colombia

B. You and your family were finally able to leave, and you've reached your vacation spot. You're on the phone with a friend who's asking what everyone is doing.

PARTNER A: You're the friend. Ask what the person in the first clue is doing.

PARTNER B: Answer according to the second clue.

> tú / descansar mucho
> —**¿Qué haces tú?**
> —**Descanso mucho.**

1. tu papá / sacar fotos

2. la abuela / leer libros

3. Luisa / nadar en el lago

4. tu mamá / pintar cerca del río

5. Ustedes / correr en el valle

6. Jorge y tu papá / subir la montaña

7. Jaimito / comer mucho

8. Jaimito y tú / montar a caballo

Entre Amigos

When you go on vacation, what do you and the rest of your family do every day?

Get together with a partner and compare what your families do.

Mi papá nada todos los días.
Mi hermanita saca muchas fotos.

¿Cómo lo dices?

Using some common verbs

Look at this chart to review three common irregular verbs you've learned. They are also in the present tense.

Singular

	estar	ser	ir
yo	estoy	soy	voy
tú	estás	eres	vas
él ella usted	está	es	va

Plural

	estar	ser	ir
nosotros, nosotras	estamos	somos	vamos
ellos ellas ustedes	están	son	van

¿Dónde está el cine?

Está cerca. Vamos a pie

¡ÚSALO!

PRESENTATION SUGGESTION
You may wish to complete Ex. A orally with students. Write the verb form of the answer on the chalkboard to clarify the difference (or similarity) between the question and the answer. This activity can also be assigned as homework after you have presented it orally in class.

A. Your friends have gone away on vacation, but they're keeping in touch by phone. Use the clues in parentheses to see how they answer your questions.

¡Hola, Carlos! ¿Dónde estás?
(cerca de un volcán)
Estoy cerca de un volcán.

1. ¡Hola, Ana y Marta! ¿Dónde están?
(en una selva)

2. ¡Hola, Eduardo! ¿Dónde estás?
(en la playa)

3. ¡Hola, Susana! ¿Dónde estás?
(cerca de una montaña)

4. ¡Hola, Luis y Ricardo! ¿Dónde están?
(en el desierto)

5. ¡Hola, Enrique! ¿Dónde está tu hermana Ema?
(en el lago)

6. ¡Hola, Carlota! ¿Dónde están tus hermanos Jorge y David?
(cerca del río)

EX. A ANSWERS
1. Estamos en una selva.
2. Estoy en la playa.
3. Estoy cerca de una montaña.
4. Estamos en el desierto.
5. Está en el lago.
6. Están cerca del río.

B. Your friend Gerardo has just returned from his family reunion. You're asking him if his family is still (**todavía**) the same.

PARTNER A: Ask questions based on the picture and the clues you see. Follow the example.

PARTNER B: You're Gerardo. Answer "yes" to each question.

tía Anita / bonita
—**¿Todavía es bonita tu tía Anita?**
—**Sí, es bonita.**

1. tu primo Diego / delgado   **4.** tu tío Aldo / inteligente

2. tus bisabuelos / gruesos   **5.** tu abuela / tímida

3. tus primas / cómicas   **6.** tu abuelo / altoZ

C. Where are these people going? How are they getting there? What are they going to do there? Use "a" to answer the first two questions. Use "b" to answer the third question.

a. Samuel / al desierto / autobús
b. sacar fotos
Samuel va al desierto en autobús.
Va a sacar fotos.

1. a. Ignacio y yo / al río / barco
   b. ir de pesca

2. a. el Sr. Gutiérrez / al lago / coche
   b. nadar y descansar

3. a. Rita / al desierto / a pie
   b. estudiar las plantas

4. a. Carmen y Pablo / a las montañas / avión
   b. viajar muy lejos

¿CÓMO LO DICES?

Using verbs with spelling changes

Do you remember **poder** and **pensar,** two verbs whose stems change when you use them?

o → ue: poder

Singular		Plural	
yo	**pue**do	nosotros, nosotras	**pue**de**mos**
tú	**pue**des		
él		ellos	
ella	**pue**de	ellas	**pue**den
usted		ustedes	

Another verb that follows the same pattern as **poder** is **volver,** which means "to return." **Almorzar, probar,** and **costar** also change their stems from **o** to **ue.** Now look at the chart for the verb **pensar.**

e → ie: pensar

Singular		Plural	
yo	p**ie**nso	nosotros, nosotras	pensamos
tú	p**ie**nsas		
él ella usted	p**ie**nsa	ellos ellas ustedes	p**ie**nsan

Do you remember these two verbs that are the same as **pensar: comenzar** and **cerrar? Querer** is an **-er** verb that follows the same pattern.

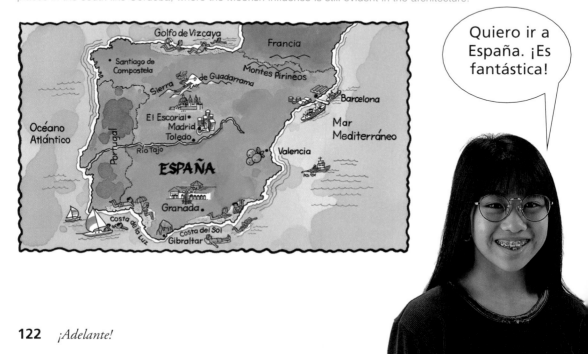

Quiero ir a España. ¡Es fantástica!

122   *¡Adelante!*

○ **A.** Tía Julia is staying at the house this weekend while your parents are away. Answer her questions about when things happen.

—¿A qué hora comienzan tus clases?
—**Mis clases comienzan a las ocho de la mañana.**

1. ¿A qué hora almuerzan tus amigos y tú?

2. ¿A qué hora cierras tus libros?

EX. A ANSWERS

1. Mis amigos y yo almorzamos a las once y cuarto.

2. Cierro mis libros a las ocho menos cinco.

3. ¿A qué hora piensas ir a la biblioteca?

4. ¿A qué hora comienza tu programa favorito?

3. Pienso ir a la biblioteca a las dos y media.

4. Mi programa favorito comienza a las ocho.

5. ¿A qué hora comienzas a estudiar?

6. ¿A qué hora puedes ir a tu dormitorio?

5. Comienzo a estudiar a las seis y media.

6. Puedo ir a mi dormitorio a las diez y cuarto.

B. What's a typical day like for you and your classmates? Take turns asking and answering these questions with a partner.

—¿Puedes visitar a tus amigos todos los días?
—**Sí, puedo.** OR **No, no puedo.**

1. ¿Pueden tus amigos mirar la televisión cada noche?
2. ¿Pueden tus amigos y tú hablar una hora por teléfono?
3. ¿Almuerzan tus amigos y tú en casa o en la escuela?
4. ¿Cuánto cuesta el almuerzo en la escuela?
5. ¿Vuelves a casa temprano o tarde?
6. ¿Puedes ver programas a las once de la noche?

ENTRE AMIGOS

Interview a partner about his or her vacation plans. Use questions like these:

¿Adónde piensas ir en las vacaciones?
¿Cómo piensas viajar?
¿Qué puedes hacer en _____?
¿Cuántos días piensas pasar en _____?
¿Cuándo vuelves?
¿Cuánto cuesta tu viaje?

Turn your notes about your partner's plans into a short written report. Yours might begin like this:

Miguel piensa ir a la playa en California. Piensa ir a California en avión. En la playa puede...

THE MULTI-LEVEL CLASS
You may wish to vary the number of questions or give a limited amount of time to create the questions. Heritage speakers and more-proficient students will compose and ask more questions.

¡A divertirnos!

 With your group, create, rehearse, and present to the class a skit about a family going on a trip.

Decide which part of the trip you want to present. You might show an episode about leaving home, for example, or spending an afternoon at the beach. Maybe they could be planning their day as they eat breakfast together at the hotel. Choose any situation you like.

Decide on names for the characters in your skit and write the script (the lines that everyone will say). Memorize your lines, practice a few times, and put on the show.

Make your skit even more fun by using costumes and props.

Which group will put on the best skit?

¿Están listos para el viaje?

COOPERATIVE LEARNING Group more-advanced students and heritage speakers with less-proficient students. Encourage them to divide tasks—for example, several students can think of the situation and the characters involved, others can be in charge of writing the script, and still others responsible for getting together props and costumes.

UNIDAD 6

For additional teaching suggestions, see the Unit Plan in the front section of this Teacher's Edition.

Un viaje en avión

When you travel to a Spanish-speaking country, the first chances you'll probably have to use your Spanish will be on the plane and in the airport when you arrive.

Are you ready for that? Sure you are!

In this unit, you're going to:

- Name people, places, and things you see when traveling by air
- Learn a few expressions you can use when traveling by air
- Talk about what you and others do and say
- Learn another way to refer to people or things

Depósito de equipaje, aeropuerto de Santiago de Chile

CULTURE: PHOTOS AND REALIA
Chile, nearly as long as the United States is wide, offers many different attractions. Travelers who arrive at the international airport in Santiago de Chile may stop to visit this metropolitan capital, continue on to a ski resort like

El aeromozo atiende a un viajero.

Portillo in the Andes Mountains, or even visit the mysterious Easter Island.

¿Sabes que...?

- Because of Latin America's great size, as well as its jungles and mountains, air travel is very important.

- Almost all airline crew members in Spanish-speaking countries speak at least two languages: Spanish and probably English. Many crew members speak several languages.

- English is the international language of airports. All communication between pilots and air traffic controllers is in English.

Cabina de pilotos

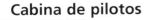

HE HERITAGE SPEAKER
sk heritage speakers to tell the class about their experiences traveling in Spanish-
peaking countries. Have them talk about the places they have visited and the means

¡HABLEMOS!

¿Vas en esta línea aérea?

—¿Vas en esta línea aérea?

—Sí. Tenemos que hacer fila con los otros pasajeros.

—¿Tienes tu equipaje?

—Sí, aquí está mi maleta.

el horario

la línea aérea

hacer fila

el equipaje

la maleta

CULTURE: PHOTOS AND REALIA
Benito Juárez Airport in Mexico City is named after Mexico's national hero and former president, Benito Juárez (1806–1872), who fought against the French occupation of Mexico and established a democratic republic.

Estos pasajeros esperan su vuelo.

—¿Qué está haciendo la aeromoza?
—Está hablando con un pasajero.

el piloto   la piloto

el pasajero   la pasajera

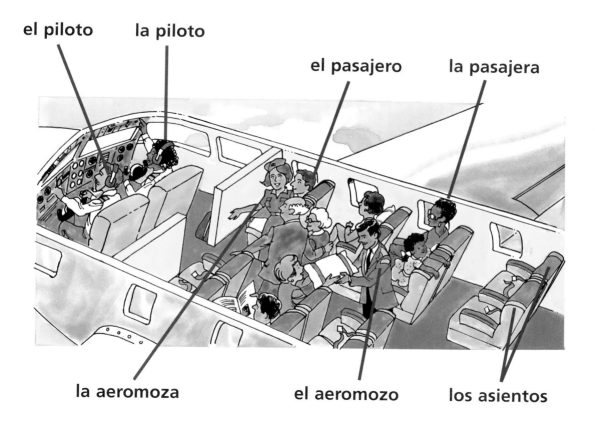

la aeromoza   el aeromozo   los asientos

PRACTIQUEMOS

○ Enrique and his family are at the airport to pick up his uncle. While they're waiting, they have a chance to look around. Say what they see. Use the verb **ver.**

Ven a un piloto.

1.

2.

3.

ANSWERS

1. Ven el horario.

2. Ven a un pasajero.

3. Ven los asientos.

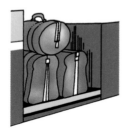

4.

5.

6.

4. Ven el equipaje.

5. Ven a la piloto.

6. Ven a un aeromozo.

FOR THE NONSPECIALIST
Make sure students use the personal **a** only before nouns that represent people.

7.

8.

9.

7. Ven a una aeromoza.

8. Ven una maleta.

9. Ven a una pasajera.

CRITICAL THINKING
Write the word **horario** on the board or on a transparency. Ask students what other word they can find in **horario** *(hora).* Does this give them a clue to its meaning?

ENTRE AMIGOS

Have a "list race." Your teacher will give you and a partner two minutes to list people, places, and things found in an airport. Work together to list as many as you can.

Spell the items correctly and use **el** or **la** to show whether each item is masculine or feminine.

After two minutes, stop and check your lists. The pair of students with the longest correctly written list wins.

Aviones en la pista

¡HABLEMOS!

¿Llega a tiempo el vuelo?

—¿El avión está volando ahora?

—No, todavía no vuela. Va a despegar en un minuto.

despegar
El avión despega.

volar
El avión vuela.

aterrizar
El avión aterriza.

El asiento es **cómodo**.

El asiento es **incómodo**.

RE-ENTER/RECYCLE
Have students substitute nouns they already know for **asiento** to give them practice using noun-adjective agreement with the opposites **cómodo** and **incómodo**. Get them started with such words as **cama, silla,** and **sofá**.

COOPERATIVE LEARNING
Take this opportunity to work on antonyms. Have members of small groups work together to copy the pairs of opposites on this spread (**temprano/tarde, cómodo/incómodo, despegar/aterrizar**) and others they know (**siempre/nunca**) onto index cards. Have them write one word of the pair on each side of the card. Tell members to take turns shuffling the cards and quizzing each other.

132 *¡Adelante!*

LANGUAGE ACROSS THE CURRICULUM

Math   Have students
look at the classroom
clock and tell what time it
would read if it were a
twenty-four hour clock.
Ask them to come up with
a formula for figuring the
hour. (If it's after noon,
add the time to twelve:
2:30 + 12 = 14:30)

—¿Llega a tiempo el vuelo?

—En realidad, va a llegar temprano ahora.

—¡No me digas! Siempre llega tarde.

Llegadas		
Vuelo	**Hora**	**Puerta**
516 Madrid	1:45	F6
101 Paris	3:15	
265 Frankfurt	3:50	

Salidas		
Vuelo	**Hora**	**Puerta**
753 Buenos Aires	2:15	G10
611 Dallas	2:35	G14
302 Miami	3:25	

El vuelo número cinco dieciséis llega a las dos menos quince.
El vuelo número seis once sale a las tres menos veinticinco.

¿Despega o aterriza este avión?

Así es...

In Spanish-speaking countries, travel schedules like those you see in airports use the twenty-four-hour clock. This means that instead of beginning again after twelve, you keep counting the hours up to twenty-four. So 1:00 P.M. is 13:00, 5:30 P.M. is 17:30, 11:45 P.M. is 23:45, and so on. Midnight is 0:00.

CULTURE: PHOTOS AND REALIA
Another word for **avión** is **aeroplano.** A small plane is called **una avioneta.** A plane crash is **un avionazo.**

PRACTIQUEMOS

 A. You're meeting some foreign students at the airport. Check to see if their flights are early, on time, or late.

PARTNER A: Ask what time the flight is arriving.

PARTNER B: Use the time given in parentheses to answer. Then say whether the flight is on time, early, or late compared with the time given on the schedule chart.

Vuelo 258 (8:15)
—**¿A qué hora llega el vuelo 258?**
—**Llega a las ocho y cuarto. Llega temprano.**

Vuelo 232 (11:45)
—**¿A qué hora llega el vuelo 232?**
—**Llega a las doce menos cuarto. Llega a tiempo.**

Vuelo 113 (12:30)
—**¿A qué hora llega el vuelo 113?**
—**Llega a las doce y media. Llega tarde.**

1. Vuelo 302 (9:45)

2. Vuelo 89 (11:30)

3. Vuelo 124 (11:45)

4. Vuelo 172 (10:10)

5. Vuelo 57 (10:00)

6. Vuelo 267 (8:00)

7. Vuelo 220 (10:40)

8. Vuelo 30 (11:30)

Llegadas					
Vuelo	267	8:00	Vuelo	30	11:10
Vuelo	258	8:30	Vuelo	124	11:30
Vuelo	57	9:20	Vuelo	89	11:40
Vuelo	302	9:45	Vuelo	232	11:45
Vuelo	172	10:10	Vuelo	113	12:10
Vuelo	220	10:45			

B. You're writing a report about your flight from Chile, but you must have jet-lag, because the words keep getting mixed up. Replace the words in bold print with ones from the list that make sense.

aeromozos	línea	vuela
despega	pilotos	maleta
horario	asiento	fila

En el aeropuerto, voy a la **piña** aérea Mexicana.
En el aeropuerto, voy a la línea aérea Mexicana.

EX. B ANSWERS

1. fila
2. horario
3. asiento
4. maleta
5. aeromozos
6. pilotos
7. despega
8. vuela

1. Primero tengo que hacer **lista** porque hay mucha gente.

2. El número del vuelo está en el **gimnasio.**

3. Quiero un **equipaje** cómodo en el avión.

4. Pongo mi **manzana** pequeña debajo del asiento.

5. Los **vuelos** ayudan a los pasajeros.

6. Hay dos **pizarras** en el avión. Ellos saben volar.

7. El avión **despierta** a tiempo.

8. ¡Estamos volando! El avión **vuelve** muy alto.

C. Read the following selection. If you see a word you don't know, don't stop! Just guess at it and keep reading!

¿Qué necesitas para viajar en avión?

Antes de viajar en avión, tienes que comprar un billete. En el aeropuerto, recibes una tarjeta de embarcación. Si no la tienes, no puedes entrar al avión. Mira estos ejemplos de un billete y una tarjeta de embarcación. ¿Qué palabras nuevas puedes leer?

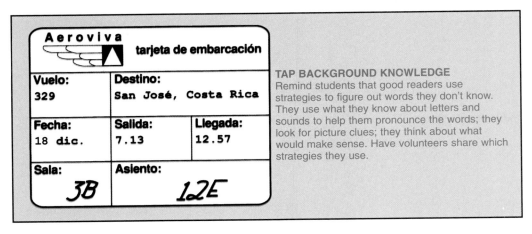

Aeroviva

Boleto de pasaje en avión				Número	2093190
Agencia de viajes: Viajes Descanso y Placer					
Nombre del pasajero: Rosario Medellín					
De: Nueva York / Kennedy	Vuelo:	Fecha:	Salida:	Llegada:	Reservaciones
	329	18 dic.	7.13	12.57	OK
A: San José, Costa Rica	Tarifa: $545				

Aeroviva — tarjeta de embarcación

Vuelo: 329	Destino: San José, Costa Rica	
Fecha: 18 dic.	Salida: 7.13	Llegada: 12.57
Sala: 3B	Asiento: 12E	

TAP BACKGROUND KNOWLEDGE
Remind students that good readers use strategies to figure out words they don't know. They use what they know about letters and sounds to help them pronounce the words; they look for picture clues; they think about what would make sense. Have volunteers share which strategies they use.

Now get with a partner and ask one another questions about the information you see on the ticket and boarding pass.

ENTRE AMIGOS

 Create a conversation between two people at an airport or in an airplane.

First choose a place for your conversation from the following list of places (**lugares**). Then decide who you and your partner will be from the list of persons (**personas**).

Lugares
1. Viajes Aéreos (una agencia de viajes)
2. Aeropuerto Internacional de Bucaramanga
3. La oficina de Aerotímido (una línea aérea)
4. Dentro de un avión viejo

Personas
1. Srta. Victoria Vuelomucho (una piloto)
2. Don Diego Descansa (un pasajero)
3. Sr. Pepe Pereza (un aeromozo)
4. Sra. Adela Activa (una agente de viajes)
5. Miguelito Jovencito (un pasajero)
6. Srta. Mónica Bonita (una aeromoza)
7. Doña Catalina Quejas (una pasajera)

Here are a few examples of the many things you or your partner might say:

¿Adónde vas con ocho maletas?
¿Cuál es el número del vuelo?
¡Qué incómodo es mi asiento!
Señorita, ¿cuándo vamos a aterrizar?
¡Tengo hambre! ¿Cuándo van a servir la cena?

First write a script for your conversation. Then practice it a few times and present it to the class.

¿Cómo lo dices?

Talking about things you do

Look at the following scene and read the paragraph that describes it. As you read, pay attention to the various uses of **hacer.**

CRITICAL THINKING
Ask students to use cognates to guess the meaning of **¡Qué emoción!** A literal translation would be "What emotion!" On further consideration, students can conclude that a better English equivalent would be "How exciting!"

Hace mal tiempo hoy. Los otros pasajeros y yo **hacemos** fila para subir al avión. **Hago** un viaje para ver a mis tíos. Ellos viven en California. Mis tíos siempre **hacen** muchos planes. Pensamos **hacer** un viajecito a Wonderlandia. ¡Qué emoción!

Now look at the chart to see the different forms of **hacer** in the present tense.

hacer

Singular		Plural	
yo	hago	nosotros, nosotras	hacemos
tú	haces		
él		ellos	
ella	hace	ellas	hacen
usted		ustedes	

○ **A.** What a line! The whole neighborhood seems to be at the movies tonight. Use the information to answer the questions **¿Quién hace fila?** OR **¿Quiénes hacen fila?**

Víctor y Manuela
Víctor y Manuela hacen fila.

EX. A ANSWERS
1. El Sr. Serna hace fila.
2. Tú haces....
3. Gloria y Luis hacen....
4. Yo hago....
5. Evaristo hace....
6. Rosa, Anita e Iris hacen....

1. el Sr. Serna   **4.** yo

2. tú   **5.** Evaristo

3. Gloria y Luis   **6.** Rosa, Anita e Iris

◑   **B.** It's the annual arts and crafts fair at your school. Everyone's making something! Work with a partner.

PARTNER A: Ask what people are making.
PARTNER B: Use the information in parentheses to answer.

Alberto (un pájaro de papel)
—Alberto, ¿qué haces?
—Hago un pájaro de papel.

EX. B ANSWERS
1. Sra. Ruiz, ¿qué hace Ud. Hago un suéter rojo.
2. ...hacen ustedes? Hacemos...
3. ...hacen ustedes? Hacemos...
4. ...haces? Hago...
5. ...hace Ud.? Hago...

1. la Sra. Ruiz (un suéter rojo)

2. Emilia y Juanita (unas tazas y unos platillos)

3. Rodrigo y Mario (un mapa de Europa)

4. Humberto (unos vasos bonitos)

5. el Sr. Tamayo (un avión de papel)

ENTRE AMIGOS

Sit in a circle with a group. Each student asks the student to his or her left **¿Qué haces en tu tiempo libre?** *(What do you do in your free time?)* Choose a secretary to record the group's answers.

No answer should be repeated! Everyone should be able to think of something different that they do in their free time.

Remember that many—even most—answers won't contain **hacer**. For example:

> —**¿Qué haces en tu tiempo libre?**
>
> —**Monto a caballo.** OR
> **Juego al fútbol.**

Report your group's answers to the class. Talk about what different students do in their free time.

¿Te gusta jugar al béisbol en tu tiempo libre?

¿Cómo lo dices?

PRESENTATION SUGGESTIONS
Based on the examples given on this page, have students make a verb chart of the forms of **decir.** Then have them turn the page to confirm or correct their entries.

Talking about saying things

The verb "to say" is **decir.** Look at these pictures and sentences to see how to use it.

Siempre **digo** la verdad.
No me gustan las galletas.

Nunca **decimos** mentiras.
No nos gusta la película.

—¿Qué **dice** la aeromoza?
—**Dice** que vamos a despegar muy pronto.

—¿Qué **dicen** los muchachos?
—**Dicen** que somos inteligentes y simpáticas.

Decir is an irregular verb. Did you notice that the **yo** form ends in **-go,** and that the **e** changes to **i** in some of the forms?

Did you also notice that in the answers to the two questions, the word **que** follows a form of **decir?** Use **que** whenever a form of **decir** is followed by an explanation of whatever you or someone else is saying.

Now look at the chart to see the different forms of **decir** in the present tense.

decir

Singular		Plural	
yo	digo	nosotros, nosotras	decimos
tú	dices		
él		ellos	
ella }	dice	ellas }	dicen
usted		ustedes	

¡ÚSALO!

A. Today is **el Día de los Inocentes,** which is like April Fool's Day. Is everybody telling the truth?

PARTNER A: Complete the sentence to tell what each person is saying.

PARTNER B: Say if the person is telling the truth (**la verdad**) or a lie (**una mentira**) based on the picture.

Horacio _____ que hace sol.

—**Horacio dice que hace sol.**
—**Él dice una mentira.**

EX. A ANSWERS

1. Elisa _____ que su asiento es incómodo.

1. dice
Ella dice la verdad.

2. Tú _____ que el avión vuela muy alto.

2. dices
Tú dices una mentira.

3. Nosotros _____ que está nevando hoy. 3. decimos
Ustedes dicen una mentira.

4. Ellos _____ que hay un tigre en el pasillo. 4. dicen
Ellos dicen la verdad.

B. You and your friends are voting on whether to go to the movies on Saturday night. Look at the words in parentheses and say how everyone votes.

> Patricia y Diana (no)
> **Ellas dicen que no.**
>
> Jaime (sí)
> **Él dice que sí.**

1. Olga (sí)

2. Benito y Ana (no)

3. tú y yo (sí)

4. Carmen y Fidel (sí)

5. la Srta. Burgos (sí)

6. el Sr. Zuluaga (no)

CULTURE: PHOTOS AND REALIA
These children are in Guernica, in the Basque region of Spain. The city was immortalized in Pablo Picasso's 1937 painting, *Guernica*, after the city was bombed, apparently by German planes.

¿Qué dicen estos muchachos?

¿Cómo lo dices?

PRESENTATION
SUGGESTIONS
To benefit kinesthetic
learners, write each word of
the example sentences on a
separate index card. Shuffle
the cards and have students
arrange them in the correct
order. Allow for self-
correction.

Referring to people and things

In English we use pronouns like "him," "her," "it," or "them" to talk about people or things we've mentioned before. Look at these pictures and sentences to see how to do the same thing in Spanish.

Miro **la televisión.**
La miro cada noche.

Ponemos **el equipaje** aquí.
Lo ponemos en el coche.

—¿Haces **tortas** de chocolate?
—Sí, **las** hago para tu fiesta de cumpleaños.

—¿Pintan **retratos?**
—Sí, **los** pintamos para la clase de arte.

TPR
Use TPR commands,
questions, and classroom or
travel-related objects to
practice direct object
pronouns. For example,
**Adela, pon la maleta sobre
la computadora. ¿Dónde la
pones?**

In the second sentence of each pair, one word is used to refer to something in the first sentence. What does the word **la** refer to? What do **lo, las,** and **los** refer to?

Lo, la, los, and **las** are all direct object pronouns. They substitute for nouns in sentences so you don't have to keep repeating the noun. In English, direct object pronouns go after the verb, but in Spanish they go before the verb.

You can also use **lo, la, los,** and **las** to refer to people.

—¿Conoces a **Eduardo?**
—Sí, **lo** conozco.

—¿Conoces a **Mónica?**
—Sí, **la** conozco.

—¿Conoces a **los hermanos Nagore?**
—Sí, **los** conozco.

—Conoces a **las hermanas Díaz?**
—Sí, **las** conozco.

In addition to these pronouns, you can also use **me, te,** and **nos** to refer to people. These words are like the English words "me," "you," and "us."

—¿**Me** vas a llevar a la fiesta?
—Sí, **te** llevo.

—¿Quién **los** ayuda a ustedes?
—La maestra **nos** ayuda.

○ **A.** You're in a rush and your friend Alma is helping you get ready to go to the airport. Use the word in parentheses, as well as **lo, la, los,** or **las** to answer her questions.

—¿Tienes los billetes? (sí)
—Sí, los tengo.

1. ¿Tienes tu equipaje? (sí)

2. ¿Tienes tus blusas? (sí)

3. ¿Tienes tu maleta? (no)

4. ¿Tienes tu vestido? (no)

5. ¿Tienes tus suéteres? (sí)

6. ¿Tienes tu chaqueta? (sí)

EXTENSION
Ask students if they brought what they need to class. They should answer using direct object pronouns. For example, ¿Tienes tu cuaderno? Sí, lo tengo.

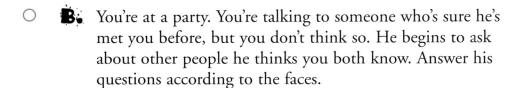

B. You're at a party. You're talking to someone who's sure he's met you before, but you don't think so. He begins to ask about other people he thinks you both know. Answer his questions according to the faces.

—¿Te conozco?
—**No, no me conoces.**

1. ¿Me conoces?

2. ¿Conoces a Juan y Hugo?

3. ¿Conoces a Lidia?

4. ¿Conoces a Julio?

5. ¿Conoces a Elena y María?

6. ¿Conoces al Sr. López?

C. Your best friend is having a party. Who is invited?

PARTNER A: Ask your friend if the different people are invited.

PARTNER B: Use a direct object pronoun to answer **sí.**

—¿Invitas a Óscar?
—**Sí, lo invito.**

1. ¿Invitas al Sr. Gómez?

2. ¿Invitas a Marta?

3. ¿Nos invitas a nosotros?

4. ¿Invitas a Hortensia y Elisa?

5. ¿Invitas a Samuel y Diego?

6. ¿Me invitas a mí?

¿Conoces a la directora de la escuela?

D. Your little brother wants to know who does what in school. Use the words in parentheses to answer his questions.

—¿Quién limpia la pizarra? (la maestra)
—**La maestra la limpia.**

1. ¿Quién limpia el pasillo? (el conserje)

2. ¿Quién examina a los alumnos? (el enfermero)

3. ¿Quién aprende las lecciones? (yo)

4. ¿Quién pone los libros en los estantes? (el bibliotecario)

5. ¿Quién cocina la comida? (la cocinera)

6. ¿Quién conoce a todos los alumnos? (la directora)

EX. D ANSWERS
1. El conserje lo limpia.
2. El enfermero los examina.
3. Yo las aprendo.
4. El bibliotecario los pone.
5. La cocinera la cocina.
6. La directora los conoce.

¿Dónde pones esta
artesanía colombiana?

ENTRE AMIGOS

Sit in a circle in a small group. Ask the person on your
left where he or she puts things. Take turns around the
circle a few times to see if everyone puts things in the
right place!

—¿Dónde pones los zapatos?
—Los pongo en mi ropero.

—¿Dónde pones la leche?
—La pongo en el refrigerador.

¡A divertirnos!

Trabalenguas *(Tongue Twisters)*

Practice saying these tongue twisters with a partner. If you can say them really fast three times in a row, you're very good!

Some words you may not know are **tontito** *(silly)*, **lentamente** *(slowly)*, **al lado del lago** *(by the side of the lake)*, **la leona** *(lioness)*.

THE HERITAGE SPEAKER
Ask heritage speakers to record a Spanish-speaking friend or family member saying these or other tongue twisters they might know and share it with the class.

TONTÍN: Tomás toma el té con un tenedor.

TONTÓN: ¡No, tontito Tontín! ¡Tomás lo toma en taza como tú!

TONTÍN: ¿Cómo lava las legumbres Lolita Laló?

TONTÓN: Lolita Laló las lava lentamente.

TONTÍN: ¿Cuándo lee León Listo los libros?

TONTÓN: León Listo los lee el lunes al lado del lago.

TONTÍN: ¿Cuándo levanta Luis Lobregón a la leona?

TONTÓN: Luis Lobregón la levanta a las nueve.

ENRICHMENT
Challenge students to make up their own tongue twisters that follow the same pattern. If necessary, point out that in each response a noun from the question has been replaced with a pronoun. Students may enjoy working with partners.

THE MULTI-LEVEL CLASS
Have students of all abilities work together to invent creative **trabalenguas** by using text as well as cutouts from old magazines. Have the more confident students come up with tongue twisters based on pictures that their other group members find.

UNIDAD 7

Additional teaching suggestions are in the Unit Plan in the front section of this Teacher's Edition.

En el hotel

ASSESSMENT OPPORTUNITY
Ask students to describe the hotels in the photos. Encourage them to use words such as **grande, moderno,** and **elegante.**

When you travel, either in the U.S. or in a foreign country, the first thing you usually do after you leave the airport is go to your hotel.

If you're in Spain or Latin America, you'll get to use a lot of Spanish while you check in at the hotel, find out where everything is, and make yourself comfortable.

In this unit, you're going to:

CULTURE: PHOTOS AND REALIA
Very frequently in Latin America and Spain, the more traditional, stately hotels are found in inland cities. Newer, resort-type hotels are more likely to be found along the coast, catering to tourists in search of sunny beaches.

- Name things you find in hotels
- Learn more ways to describe things
- Talk about what you and others do
- Discuss different daily routines
- Learn about hotels in Spanish-speaking countries

150 *¡Adelante!*

EXTENSION
Have students select one of the kinds of hotels they described and find examples of them in

¡A los muchachos les gusta la comida en este hotel!

travel books. Students may use the information they gather to present a brief report in Spanish describing the hotel or prepare an illustrated poster or brochure for the hotel.

Este hotel de México, ¿es antiguo o moderno?

¿Sabes que...?

- Many hotels in Spain and Latin America have a sign with stars on it near the door. The more stars (up to five) the nicer the hotel—and the more expensive!

- In Spain, you can stay in hotels that hundreds of years ago were the castles of important people!

- In less expensive hotels in Spanish-speaking countries, you may find that you share a bathroom with other guests on the same floor.

Ella llega al hotel.

¡HABLEMOS!

¿Necesitan un cuarto?

FOR THE NONSPECIALIST
The word **turista** does not change its ending, regardless of the gender of the tourist. The definite or indefinite article preceding the word indicates the gender of the tourist.

—¿Necesitan un cuarto, señor?

—Sí, queremos una habitación grande lejos del ascensor.

—¿Es su primera visita a nuestro hotel, señor?

—Sí, somos turistas. Somos estadounidenses.

el arte moderno

el ascensor

las habitaciones

la turista

la llave

el turista

ENRICHMENT
You may wish to supplement the vocabulary with words for people who work in a hotel: **el criado** or **la criada** (maid); **el** or **la recepcionista** (receptionist); **el botones** (bellboy); **el** or **la gerente del hotel** (manager).

—Este hotel es muy moderno.

—Sí, pero a mí me gustan más los hoteles antiguos.

¿Qué hacen estas personas en este hotel de Caracas?

The Hotel Carrera
is a historical
landmark in
Santiago de Chile. It
is a favorite place to
stay among visiting
world leaders and
international
business people. It
sits on the main
square across from
the presidential
palace.

¿Te gusta este hotel chileno?

Así es...

Hotels are more common than motels in Latin America. Travel between cities and towns is mainly by bus or train, so there is not a great need for motels along the highway.

PRACTIQUEMOS

○ **A.** The Gómez family is on vacation. Use the words in the list to complete the sentences about their trip.

el ascensor	moderno	la llave	hotel
habitación	arte	turistas	

Van a pasar las vacaciones en un gran _____.
Van a pasar las vacaciones en un gran hotel.

1. Ellos están de vacaciones en El Salvador. Ellos son _____.

2. Su _____ es grande y cómoda.

3. No está en el primer piso. Tienen que usar _____.

4. El empleado abre la puerta con _____.

5. Hay mucho _____ en las paredes. A Miguel le gusta porque es _____.

○ **B.** Match the sentences on the left with those on the right.

1. El Hotel Sedgewick tiene muchos años.

2. Juana está de viaje en Honduras.

3. ¿Por qué no puedes abrir la puerta?

4. A Carlos le gusta viajar.

5. Quiero usar el ascensor.

6. Estoy solo en el hotel.

7. Es muy moderno.

a. Nuestro hotel tiene sólo tres años, señor.

b. No quiero subir la escalera.

c. Tengo una habitación pequeña.

d. Es un turista.

e. Es una turista.

f. No tengo la llave de mi habitación.

g. Es un hotel antiguo.

154 *¡Adelante!*

ENTRE AMIGOS

Imagine how exciting it is to walk into a hotel in a foreign city for the first time!

Get in a group of three or four classmates. Prepare a skit about entering a hotel. You might play the roles of a family of tourists or a group of foreign exchange students. You could also divide your group between arriving tourists and people who work in the hotel.

ENRICHMENT Have each group base their skit in a different city or country that the class has studied. Encourage students to include regional or cultural sites they might see while on their vacation.

Begin the skit at the point when you are just getting out of the taxi or bus. Stop when you are just about to enter a hotel room. At this point have your teacher look at the skit to help with words and make suggestions.

Your group will complete the skit in the next **Entre amigos** activity.

CULTURE: PHOTOS AND REALIA
Cancún is best known for its luxurious five-star hotels and fancy restaurants. This resort town in the Yucatán Peninsula overlooks the Caribbean Sea, yet it is only a few hours by car from the famous Maya archaeological site at Chichén Itzá.

Este hotel en Cancún, México, tiene casitas en la playa.

COOPERATIVE LEARNING
Have groups of four create five pairs of sentences, put them into two columns, and scramble them as in Exercise B. Ask groups to make an answer key on a separate sheet of paper. Then suggest that groups trade their sentences with other groups. Which group can unscramble the sentences first? Have groups discuss and decide which group's sentences were the hardest to figure out.

¡HABLEMOS!

¿Qué hay en la habitación?

—¡Mira las sábanas bonitas que tienen las camas!

—Sí, pero las camas son muy blandas.

—¿Qué hay en el cajón?

—¡Hay tarjetas postales! Podemos escribir a nuestros amigos.

el arte antiguo

las tarjetas postales

blanda

dura

la sábana   la manta

Voy a escribir tarjetas postales a mis amigos.

Voy a escribir una a mi abuelo.

—¿Cómo está el agua en la ducha?
—¡Bastante caliente! ¿Me puedes dar una toalla?
—Sí, claro.

agua fría   **las toallas**   **la ducha**

el jabón

la bañera   **agua caliente**

Así es...

In Spanish-speaking cities and towns, large and small, you can find small inns called *pensiones* or *fondas,* something like bed and breakfast inns in the U.S., where the owners themselves live. These are usually less expensive than large hotels, and they're often more pleasant to stay in.

PRACTIQUEMOS

A. You've arrived at your hotel after a long day of traveling. When you get to your room, you find it's missing a number of things. You call the clerk at the front desk, who wants to know what you need.

PARTNER A: You're the clerk. Ask **¿Qué necesita usted?**

PARTNER B: Answer according to the picture.

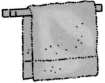

—¿Qué necesita usted?
—**Necesito una toalla.**

RE-ENTER/RECYCLE
To reinforce the use of direct object pronouns with the present vocabulary, ask students if the clerk has the pictured item (**¿Tiene una toalla?**). Students should respond using direct object pronouns in their answer (**No, no la tiene**).

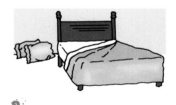

1. EX. A ANSWERS
1. Necesito jabón.

2.
2. Necesito unas tarjetas postales.

3.
3. Necesito una sábana.

4.
4. Necesito una manta.

5.
5. Necesito agua fría.

○ **B.** Now that you've gotten some rest, you've become a little pickier. Complete the sentences to register your complaints with the hotel management.

_____ todavía no tiene agua caliente.
La ducha todavía no tiene agua caliente.

1. _____ es muy pequeña.

1. La bañera

2. ¡_____ habla mucho!

2. La turista

3. _____ sube, pero no baja.

3. El ascensor

4. El sillón es muy _____.

4. blando

5. La cama es muy _____.

5. dura

6. _____ me despiertan.

6. los turistas

C. The Arango sisters may be twins, but they have different personalities! Amalia has something good to say about everything, while Aurelia is a little bit harder to please.

PARTNER A: Read the question.

PARTNER B: Answer as either Amalia or Aurelia. Use the words from the list when you answer.

antiguo	duro	limpio
blando	feo	moderno
bonito	frío	simpático
caliente	impaciente	sucio

—Amalia, ¿te gusta la habitación?
—**Sí, me gusta mucho. Es muy moderna.**

—Aurelia, ¿cómo es tu cama?
—**¡Es horrible! Es muy dura.**

1. Aurelia, ¿está bien el agua en la ducha?

2. Amalia, ¿te gustan los cuadros?

3. Amalia, ¿cómo es tu cama?

4. Aurelia, ¿cómo son los sillones?

5. Aurelia, ¿te gustan las toallas?

6. Amalia, ¿cómo son los turistas?

7. Aurelia, ¿cómo son las sábanas?

8. Amalia, ¿cómo es la manta?

9. Aurelia, ¿por qué no te gusta el hotel?

10. Amalia, ¿por qué te gusta el hotel?

ENTRE AMIGOS

Continue preparing the skit your group began in the last **Entre amigos.** Now the travelers enter their hotel room or rooms.

What do they have to say? Are they happy with what they've found or not? How does the hotel staff respond?

Besides the hotel itself, the tourists might talk about their clothes, their luggage, the things they can see from their rooms, or their plans for later in the day.

Once you're happy with your script, practice your parts and present your skit to the class. Liven it up by bringing in a few props and costumes from home!

¡Bienvenidos al hotel, señor!

ASSESSMENT OPPORTUNITY
This exercise can be used as a performance assessment tool to assess students' progress. Base each student's grade according to his or her participation in the skit, use of vocabulary, structures, and creativity.

¿CÓMO LO DICES?

Talking about daily routines

You've already learned a number of verbs that let you talk about your daily routines, like **bañarse,** "to take a bath," and **ponerse,** "to put on." Here's how to use **dormirse,** which means "to fall asleep." Look at the chart.

Singular			
	bañarse	**ponerse**	**dormirse**
yo	me baño	me pongo	me duermo
tú	te bañas	te pones	te duermes
él / ella / usted	se baña	se pone	se duerme

Plural			
nosotros, nosotras	nos bañamos	nos ponemos	nos dormimos
ellos / ellas / ustedes	se bañan	se ponen	se duermen

FOR THE NONSPECIALIST
Reflexive verbs are generally used to talk about actions people do for or to themselves. Reflexive verbs can be regular, irregular, or stem-changing. The **vosotros/-as** forms of these verbs are as follows: **bañarse–os bañáis; ponerse–os ponéis; dormirse–os dormís.**

All three of these verbs are reflexive verbs. When you use them, be sure to use the pronouns that correspond to the correct form: **me, te, se,** and **nos.**

A. Mario Muchaprisa is the most organized person in the world. He does everything in the proper order in life. How does he answer your questions about his routine?

—¿Qué haces primero, te levantas o te despiertas?
—**Primero, me despierto. Luego, me levanto.**

1. ¿Qué haces primero, te bañas o te secas?

2. ¿Qué haces primero, te peinas o te vas de la casa?

3. ¿Qué haces primero, te lavas la cara o te quitas la camisa?

4. ¿Qué haces primero, te cepillas los dientes o te acuestas?

5. ¿Qué haces primero, te duermes o te acuestas?

   B. Mario's two sisters are just like him. What will they say if you ask them the same questions you asked Mario?

PARTNER A: Ask the Muchaprisa sisters which of the two things they do first.

PARTNER B: You're one of the Muchaprisa sisters. Answer according to the right order.

levantarse / despertarse
—**¿Qué hacen primero, se levantan o se despiertan?**
—**Primero, nos despertamos. Luego, nos levantamos.**

1. bañarse / secarse

2. peinarse / irse de la casa

3. lavarse / quitarse la camisa

4. cepillarse los dientes / acostarse

5. dormirse / acostarse

4. ¿...se cepillan los dientes o se acuestan? ...nos cepillamos los dientes. ...nos acuestamos.

5. ¿...se duermen o se acuestan? ...nos acostamos. ...nos dormimos.

C. Alicia enjoys going on vacation with her father because she doesn't have to follow any schedule. Choose appropriate words from the list to help Alicia complete the sentences that describe a typical day on vacation.

despertarse	secarse	peinarse
cepillarse	levantarse	dormirse
bañarse	quitarse	ponerse
irse	acostarse	lavarse

Por las mañanas _____ a las nueve y media.
Por las mañanas me despierto [me levanto] a las nueve y media.

1. En la bañera, _____ con agua bien caliente.

2. Luego, _____ con una toalla muy blanda.

3. Me miro en el espejo y _____. Tengo el pelo muy rizado.

4. Luego, _____ los dientes y _____ la ropa.

5. _____ de la habitación. Tomo el desayuno en el patio del hotel.

6. Por la noche _____ la ropa y _____ el pijama.

7. Siempre _____ a las once y media de la noche.

8. En mi cama grande y blanda, leo mis libros favoritos. Generalmente, _____ a la medianoche.

EXTENSION
Desmond Despistado does everything in reverse order. Challenge students to write a short story about Desmond's unusual day!

ENTRE AMIGOS

What if you went on a group trip and didn't have to stick to a schedule? You'd probably end up doing some things on your own and some things with your friends.

Get together with three or four classmates. Come up with some ideas for an ideal day on a group vacation trip. Plan your day from morning until evening. Talk about it as if it were happening right then. Include some things that you do on your own. Include some things you do together. For example:

> **Yo me levanto a las seis y media.**
> **Carol se levanta a las siete y cuarto.**
> **A las ocho, Carol y yo tomamos el desayuno en el comedor.**
> **¡Felipe se levanta a las once!**

Share your day with other groups. Ask and answer questions about what happens on your imaginary trips.

EXTENSION
Make up a similar itinerary for a fictitious (or real) person for whom money and time are no object.

¡Ya es hora de levantarse!

¿Cómo lo dices?

Talking about special action verbs

Many of the verbs you've been using are stem-changing verbs. You've studied several whose stems change from **e** to **ie,** and others whose stems change from **o** to **ue.** You've also learned about verbs whose stems change from **e** to **i,** and finally, verbs whose stems change from **u** to **ue.** Look at these sentences to see if you recognize all these different types of verbs.

—¿**Juegas** al fútbol?
—Sí, **juego** cada día.

—¿No **quieres** el cereal?
—No, sólo **quiero** la toronja.

—¿A qué hora **almuerza** ella?
—Siempre **almuerza** a las doce.

—¿Ustedes **piden** pescado?
—Nunca **pedimos** pescado en el mercado.

Can you tell which verb's stem changes from **e** to **i?**
Which verb's stem changes to **ue?**
Jugar has a stem change to **ue,** and pedir has a stem change from **e** to **i.**
For all these verbs, in which form does the stem not change?   The **nosotros** form.

¡ÚSALO!

○ **A.** You and your family are spending the weekend in a hotel. When you arrive, though, you don't find what you need. Say what you and the different members of your family ask for.

tu papá
Él pide la llave.

1. tú

1. Yo pido jabón.

2. tu mamá

2. Ella pide una almohada.

3. tus hermanos

3. Ellos piden una sábana.

4. ustedes

4. Nosotros pedimos toallas.

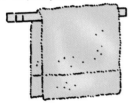

5. tus papás

5. Ellos piden tarjetas postales.

6. tu hermana y tú

6. Nosotros pedimos una manta.

○ **B.** The hotel where you're staying has all sorts of activities. Say what games and sports everyone is playing.

nosotros / tenis
Nosotros jugamos al tenis.

1. yo / volibol

2. mamá y papá / dominó

3. mi hermana / fútbol

4. mis hermanos / béisbol

5. mi prima y yo / ajedrez

6. mi tío / baloncesto

C. You and your family get to spend a week in a hotel. What do you ask for? What do you do? Use the verbs in parentheses to answer these questions.

Nosotros _____ la habitación más bonita. (pedir)
Nosotros pedimos la habitación más bonita.

1. Mi mamá _____ cuatro almohadas muy blandas. (pedir)

2. Yo _____ a las doce y media cada día. (almorzar)

3. Mi papá y yo _____ al volibol. (jugar)

4. Mis hermanos _____ al tenis. (jugar)

5. Mi mamá y mi hermana no _____ jugar a nada. Ellas descansan. (querer)

EX. C ANSWERS
1. pide; 2. almuerzo; 3. jugamos; 4. juegan; 5. quieren

ENTRE AMIGOS

If you and your friends were staying in the most fabulous hotel in Buenos Aires, Argentina, what would you all order to eat and drink when you went to the restaurant?

Get in a group with three or four classmates. Ask each other what you are ordering.

—Elena, ¿qué pides tú para comer y beber?
—Yo pido jamón, sopa, ensalada, helado, leche...

—Y Miguel y Ana, ¿qué piden ustedes?
—A nosotros nos gusta la carne. Pedimos mucha carne.

Write down the answers and report to the rest of the class.

Elena pide jamón, sopa, ensalada, helado y leche.
Miguel y Ana piden carne.

EXTENSION Have groups prepare separate lists for breakfast, lunch, and dinner. For a grand finale, prepare a list for a buffet dinner for the entire class. Encourage students to use a dictionary to look up words they don't know.

¡A divertirnos!

Here's a very old folk song. It originally had to do with the Feast of St. John **(San Juan),** which is celebrated every year in June. Over the centuries, other versions and verses have sprung up in different parts of the Spanish-speaking world.

Listen several times as your teacher plays the song. Then follow along or chant the words. How many of the words can you recognize? In Peru and other Andean countries, **guagua** means "a baby"; so **guagüita** would be "a little baby." **Dan** means "they give," **hueso** means "bone," and **Aserrín, aserrán** is nonsense verse like "higgledy, piggledy."

Aserrín, aserrán, a las guaguas de San Juan.
Piden pan, no les dan. Piden queso, les dan hueso.
Aserrín, aserrán, las guagüitas de San Juan.

En España, la gente celebra muchas fiestas con grandes fogatas *(bonfires).*

CULTURE: PHOTOS AND REALIA
The Feast of San Juan (St. John the Baptist) and the Feast of San José (St. Joseph) date back centuries. The bonfire structures (las fallas) that are traditionally built in celebration of these feasts can sometimes be as much as 100 feet tall.

Additional teaching suggestions are found in the Unit Plan in the front section of this Teacher's Edition.

El banco y el restaurante

CULTURE: PHOTOS AND REALIA
Ask students to describe the photos. What is the person at the top doing? What clues did they use? Ask students from countries the money comes. Ask them if they think every U.S. bill is green. Would they like dollar bills to be different col
Invite them to guess who the faces on the bills might be. Accept all answers, such as queen, president, general, teacher, etc.

You're on a trip to a Spanish-speaking country. You've gone through the airport and checked into your hotel. What's next?

FOR THE NONSPECIALIST
ATMs (automatic teller machines) are increasingly common worldwide. In Mexico, ATMs are called **cajas permanentes.** They accept many ATM cards from the U.S., allowing you to get local currency without going to an exchange office or bank, and can often provide a cash advance with a major credit card.

Perhaps it's time for a good meal in a restaurant. But wait! First you have to exchange your dollars for the local money.

In this unit, you're going to:

- Name people and things found in banks and restaurants

- Learn how to talk about giving

- Talk about what happens to you and others

- Learn about money used in Spanish-speaking countries

La cajera electrónica
es muy rápida.

¿Cuánto cuesta un dólar hoy?

¿Sabes que...?

- Most Spanish-speaking countries have exchange houses (casas de cambio) that change dollars to local money.

- Tipping is not common in many countries. Restaurants in many Spanish-speaking countries include the tip in the price of the meal.

- Eating outdoors is very popular in Spain and Latin America. It's fun to people-watch as you eat at an outdoor café or restaurant.

El camarero sirve a la gente en el restaurante al aire libre.

¿Vas a cambiar dinero?

THE HERITAGE SPEAKER
Invite heritage speakers to share with the class what they know about similarities and differences between banks in their countries and those in the U.S.

—¿Puedes cambiar dinero en este banco?

—¡Claro! Vamos, hay una ventanilla abierta a la izquierda.

—¿Qué vas a pedir a la cajera?

—Billetes de cien pesos y algunas monedas.

el banco

—¿Qué vas a hacer con el dinero?

—Voy a gastarlo, por supuesto.

—Yo prefiero ahorrar mi dinero.

Queremos cambiar dinero.

Así es... **Every country in Latin America uses a different kind of money. Mexico, Chile, and Bolivia all use** *pesos,* **but each of these three kinds of** *peso* **has a different value. Other money names are the** *quetzal* **in Guatemala, the** *balboa* **in Panama, and the** *bolívar* **in Venezuela. Two of these are named after explorers. Do you know which ones?**

PRACTIQUEMOS

○ Your friend Elena is excited about her new job at the bank! There are lots of new people to meet and things to learn. Use the pictures to complete the sentences about her new job.

Elena trabaja en _____.
Elena trabaja en el banco.

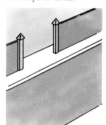

ANSWERS

1. Elena cuenta _____.

1. los billetes

2. Elena es _____.

2. cajera

3. Su _____ está abierta.

3. ventanilla

4. También cuenta _____.

4. las monedas

5. Hugo también es _____.

5. cajero

6. Los domingos el banco está _____.

6. cerrado

TOWARD CULTURAL UNDERSTANDING / LANGUAGE ACROSS THE CURRICULUM
Many of the currencies listed on page 175 are named for national symbols or for historical figures. Have students research the names of currencies from various Spanish-speaking countries and report their findings to the class. Many currencies are named **el peso**. The name probably derives from the weight, or **peso**, of gold coins centuries ago. Students may be interested in knowing that in Puerto Rico, the United States dollar is the official currency; however, the people often refer to it as **el peso**.

ENTRE AMIGOS

With a partner, study this chart of currencies in some Spanish-speaking countries:

País	Nombre	Subdivisión
Argentina	peso	100 centavos
Bolivia	boliviano	100 centavos
Chile	peso chileno	1000 escudas
Costa Rica	colón	100 céntimos
Ecuador	sucre	100 centavos
España	peseta	100 céntimos
Guatemala	quetzal	100 centavos
Honduras	lempira	100 centavos
México	peso	100 centavos
Nicaragua	córdoba	100 centavos
Panamá	balboa	100 centésimos
Paraguay	guaraní	100 céntimos
Perú	nuevo sol	100 centavos
Venezuela	bolívar	100 céntimos

Bring in the foreign exchange table from a newspaper. Now practice buying some of the foreign currency at the latest rate. To buy the foreign currency, multiply the number of dollars by the rate given for the other currency. You'll probably need a calculator. One of you can play the banker, and the other, the customer. Here's a sample conversation:

—Tengo cien dólares. ¿Cuántos sucres puedo comprar?
—Usted puede comprar (trescientos mil) sucres, Señora.

FOR THE NONSPECIALIST
Other words used to mean **el menú** are **la carta** and **la lista de platos**. Throughout much of Latin America **el mesero/la mesera** is used for **el camarero/la camarera**. In Spain you may also ask for **la nota**, instead of **la cuenta**.

¿Te gusta el restaurante?

—¿Te gusta el restaurante?

—¡Sí! Tiene un menú interesante, y la camarera es muy simpática.

el restaurante

la cuenta

el camarero
la camarera

el menú

la propina

TPR
Tell students that they are diners in a restaurant. Write on the chalkboard the names of different food items as well as table settings and the bill: **el menú, el tenedor, la cuchara, una hamburguesa, una enchilada, etc.** Assign a student as the waiter. The diners will say **¡Tráigame la cuenta, por favor!** The waiter will go to the chalkboard and erase the check. Continue until all of the items have been erased.

176 *¡Adelante!*

—¿Vas a pedir la cuenta?
—Sí, y voy a darle a la camarera una buena propina.

Ellos compran los tacos del restaurante.

Un restaurante en la Zona Rosa, hermoso sitio de la Ciudad de México

Así es...

In the U.S., we're used to ordering each course of a meal separately. Restaurants in Spanish-speaking countries often offer a *menú del día*. This includes everything from soup to dessert, and it gives you two or three choices for some courses. Ordering this way is usually less expensive than ordering individual items.

PRACTIQUEMOS

◑ **A.** You're having a hectic day. Complete the sentences with one or two appropriate words to tell about your day at the bank and the restaurant.

> Necesito dinero. Primero, voy _____.
> **Necesito dinero. Primero, voy al banco.**

EX. A ANSWERS

1. la cajera
2. billetes / monedas
3. las ventanillas
4. abierta
5. al restaurante
6. el menú
7. El camarero (La camarera)
8. la cuenta / una propina

1. En el banco voy a hablar con _____ simpática.

2. Voy a pedir veinte dólares en _____ y un dólar en _____.

3. ¡Ay! ¡Todas _____ están cerradas!

4. ¡Qué bueno! Una está _____.

5. ¡Tengo mucha hambre! Voy _____ muy cerca de aquí.

6. Antes de comer, voy a leer _____.

7. _____ es muy impaciente. No sé qué comer.

8. Ahora voy a pagar _____, pero no voy a poner _____ en la mesa.

◑ **B.** What do you prefer, spending your money or saving it? For each item, say either that you want it and prefer to spend your money, or that you don't want it and prefer to save your money.

EX. B ANSWERS
Answers will vary.

ENRICHMENT
Have students convert all the amounts in Ex. B to another currency using either the chart on p. 175 or a recent foreign exchange table from the newspaper.

> Botas negras: $85.00
> **¿Botas negras por ochenta y cinco dólares?**
> **Sí, las quiero. Prefiero gastar el dinero.**
>
> Un viaje al desierto: $1,500.00
> **¿Un viaje al desierto por mil quinientos dólares?**
> **No lo quiero. Prefiero ahorrar el dinero.**

1. Un avión: $1,000,000.00
2. Una camiseta: $20.00
3. Un libro: $12.00
4. Un viaje en tren: $75.00
5. Una cena en un buen restaurante: $50.00
6. Una bicicleta moderna: $655.00
7. Un radio: $40.00
8. Un televisor antiguo: $15.00
9. Un viaje a la selva: $5,000.00
10. Una semana en un hotel moderno: $1,100.00

ENTRE AMIGOS

Get together with several classmates and put on a skit, either about a scene in a bank or a scene in a restaurant.

If you decide on the bank, one person can play the teller, and the others can be customers. Or maybe one of you can be the bank manager, who comes to talk with the teller. Props are easy. Use play money, your own wallets, pieces of paper for bank forms, and so on.

If you decide on the restaurant, you could be a group sitting down for a meal and ordering from the waitress or waiter. Or you could be a group of waitresses or waiters back in the kitchen, talking about the customers as you get ready to take out the food. For props, use table settings, trays, aprons, and pictures of food.

Write a good script! Rehearse! On with the show!

¿CÓMO LO DICES?

Referring to yourself and others

Do you remember how to use the verbs **doler** and **gustar?**
Look at these sentences to see if you recognize anything
similar.

RAUL: ¿Qué **le** pide Juan al maestro?
OLGA: Juan **le** pide ayuda.

CAMARERO: ¿Cómo **les** puedo servir a
ustedes?
JOSEFINA: A nosotras **nos** puede traer un
menú, por favor.

CARLOS: Mi abuelo **me** escribe una carta
cada semana.
ROSITA: ¡A mí nadie **me** escribe!

Le, les, nos, and **me** are the same words you've been using
with **gustar** and **doler.** They are called "indirect object
pronouns," and they allow you to tell *to whom* or *for whom*
something is done.

Look at this chart of indirect object pronouns.

Singular	Plural
me	nos
te	
le	les

Several of the indirect object pronouns look like direct object pronouns. Which ones? Can you remember the difference in how you use them? As long as you do, you won't confuse them.

Where do you place the indirect object pronoun: before or after the verb? These sentences will help to remind you.

—¿A quién **le** escribe Diego?
—Siempre **le** escribe cartas románticas a Julia.

—¿Qué **le** piden ustedes al dueño del hotel?
—**Le** pedimos la cuenta.

¿Te suena bien la música?

A. Santiago is feeling down. See if you can cheer him up.

PARTNER A: Ask Santiago who does the different things for him.

PARTNER B: You're Santiago. Use the clues in parentheses to tell who does these things for you.

> ¿Quién te compra libros? (a veces / mi papá)
> —¿Quién te compra libros?
> **—A veces mi papá me compra libros.**

1. ¿Quién te escribe cartas? (a veces / mi tía)

2. ¿Quién te hace el desayuno? (siempre / mi mamá)

3. ¿Quiénes te traen camisetas cómicas? (a veces / mis primos)

4. ¿Quién te dice la verdad? (siempre / tú)

B. Poor Pablo is a bit short on cash. For each person or group of people, answer the question **¿Cuánto pide Pablo?**

> a nosotras / seis dólares
> **A nosotras, Pablo nos pide seis dólares.**

1. a mí / ocho dólares

2. a ti / cincuenta centavos

3. a nosotros / tres dólares

4. a ustedes / cinco dólares

5. a ellas / veinte centavos

6. a él / once dólares

7. a ellos / quince dólares

8. a ella / ochenta centavos

EX. A ANSWERS

1. A veces mi tía me escribe cartas.

2. Mi mamá siempre me hace el desayuno.

3. A veces mis primos me traen camisetas cómicas.

4. Tú siempre me dices la verdad.

EX. B ANSWERS

1. A mí, Pablo me pide ocho dólares.

2. A ti, Pablo te pide cincuenta centavos.

3. A nosotros, Pablo nos pide tres dólares.

4. A ustedes, Pablo les pide cinco dólares.

5. A ellas, Pablo les pide veinte centavos.

6. A él, Pablo le pide once dólares.

7. A ellos, Pablo les pide quince dólares.

8. A ella, Pablo le pide ochenta centavos.

182 *¡Adelante!*

C. You're writing an essay about your best friend María. Some of your sentences are incomplete, however. Use the correct pronoun to complete them.

Siempre _____ digo la verdad a María.
Siempre le digo la verdad a María.

María es mi mejor amiga.

1. Yo _____ digo mis secretos.

2. Y ella _____ dice sus secretos.

3. A veces _____ pido ayuda con mis lecciones. Ella es muy inteligente.

4. A nosotros _____ gusta jugar al tenis.

5. También _____ gusta ir a nuestro restaurante favorito.

6. Al camarero, yo _____ pido helado de chocolate.

7. María _____ pide helado de fresas.

8. El camarero siempre _____ trae unas galletas con los helados. Él es muy simpático.

ENTRE AMIGOS

Write a paragraph about your best friend. Here are some questions you might answer:

A ustedes, ¿qué les gusta hacer?
¿Qué le dices a tu amigo o amiga?
¿Qué te pide tu amigo o amiga a ti?

Exchange paragraphs with a partner. Talk about what each of you has written. Correct any problems you can spot in your partner's paragraph.

¿Cómo lo dices?

Talking about giving

The verb "to give" is **dar.** Look at these sentences to see how to use it.

Siempre le **doy** la mano a mi amigo.

¡A mamá siempre le **damos** dolor de cabeza!

FOR THE NONSPECIALIST
Dar is irregular in the **yo** form but has regular **-ar** endings in the other forms. The **vosotros/-as** form of **dar** is **dais.**

¡Sólo nos **da** unas monedas!

Ustedes me **dan** dos libros.

Did you notice that **dar** is frequently used with an indirect object pronoun? That's because when you give something, you usually give it to someone.

ENRICHMENT
Dar las gracias means "to thank." Other common expressions with **dar** are **dar de comer** (to feed), **dar gusto** (to be nice), and **dar con** (to find or come upon).

Now study the chart of the verb **dar.**

dar

Singular		Plural	
yo	doy	nosotros, nosotras	damos
tú	das		
él		ellos	
ella }	da	ellas }	dan
usted		ustedes	

What other verb do the forms of **dar** resemble: **estar, ir,** or **ser? Dar** is used in many expressions. **Dar la mano** means "to shake hands." What do you think **dar las gracias** means?

Las vacaciones nos dan tiempo para descansar.

○ **A.** Your school is having a rummage sale to raise money. Complete the sentences to say who is giving what.

Daniel _____ libros viejos.
Daniel da libros viejos.

EX. A ANSWERS

1. dan
2. da
3. damos
4. doy
5. da
6. dan
7. da
8. dan

1. Roberto y Sarita _____ botas pequeñas.

2. Amalia _____ un abrigo de invierno.

3. Estela y yo _____ tazas y platillos.

4. También, yo _____ cinco carteles bonitos.

5. El Sr. Gómez _____ una lámpara.

6. Ustedes _____ un televisor de blanco y negro.

7. La Sra. Álvarez _____ un juego electrónico.

8. Felipe y Tómas _____ ropa vieja.

◐ **B.** Courtesy makes life a little nicer for everyone. How would you be courteous in these situations? Answer the questions.

La aeromoza te trae un vaso de agua. ¿Qué haces?
Le doy las gracias a la aeromoza.

EX. B ANSWERS

1. Le damos las gracias al cajero.
2. Le doy las gracias a la camarera.
3. Le damos las gracias al dueño del hotel.
4. El taxista me da las gracias.

1. El cajero les da los billetes a ustedes. ¿Qué hacen?

2. La camarera te sirve la cena. ¿Qué haces?

3. El dueño del hotel les trae toallas limpias. ¿Qué hacen?

4. Tú le das una propina al taxista. ¿Qué hace él?

EXTENSION
Have students think of other situations in which one person thanks another. You may wish to re-enter school and community people. Have the students think of what we might thank a person for.

186 *¡Adelante!*

C. Who is giving what to whom? You're with a friend who's answering some questions you have.

EX. C ANSWERS

1. ¿Qué nos da Felipe a nosotros?

   Nos da unas manzanas.

2. ¿Qué te dan José y Mariela a ti?

   Me dan un regalo bonito.

3. ¿Qué me das a mí?

   Te doy veinte dólares.

4. ¿Qué les damos a nuestros papás?

   Les damos los billetes.

CULTURE: PHOTOS AND REALIA
Stores in Mexico City offer everything from local crafts to international fashions. Large modern malls such as this one are often the place to find international stores, particularly those from the U.S.

PARTNER A: Use the first set of words to ask your friend who is giving what to whom.

PARTNER B: Use the words in parentheses to answer.

Roberto / le / dar / Rita (camisa rosada)
—**¿Qué le da Roberto a Rita?**
—**Le da una camisa rosada.**

1. Felipe / nos / dar / nosotros (unas manzanas)

2. José y Mariela / te / dar / a ti (un regalo bonito)

3. Tú / me / dar / a mí (veinte dólares)

4. Nosotros / les / dar / a nuestros papás (los billetes)

¿Qué le doy para su cumpleaños?

ENTRE AMIGOS

Play a round of "What gives?"

Write down three different kinds of people named by their occupation, such as **la maestra, un taxista, la médica**, or **un cajero**. Write each person on a separate slip of paper.

Put everyone's slips into a bag. Divide the class into two teams and stand facing each other. Choose one team to go first. Take turns. Only one student at a time speaks for each team.

Your teacher will draw a slip from the bag and read it. If it says, for example, **un cajero,** the student whose turn it is has five seconds to say something **un cajero** would normally give to someone.

Un cajero me da billetes de cinco dólares.

Anyone who takes too long or gives a wrong answer must sit down. The team with the last person standing wins.

THE MULTI-LEVEL CLASS

As a whole-class activity, go around the classroom and have students name professions. If students don't know the word for a particular profession in Spanish, have them say it in English and provide them with the translation, if necessary.

La maestra me da un libro.

¡A divertirnos!

Is there a restaurant in your community that serves food from a Spanish-speaking culture, and that has Spanish-speaking waiters, waitresses, and other employees?

If there is, why not make a field trip there for lunch, so you can practice your Spanish? Your teacher and parents will have to organize the trip, of course, and you'll have to let the restaurant know in advance that your group is coming.

Try to get a copy of the menu beforehand, so you can have a look at the food names in Spanish, talk about what the different foods are, and practice ordering them.

Make a pact with each other to speak only Spanish while you're at the restaurant. Enjoy your lunch—**¡en español!**

El muchacho le da el dinero al camarero.

Additional teaching suggestions are found in the Unit Plan in the front section of this Teacher's Edition.

De paseo en la ciudad

CULTURE: PHOTOS AND REALIA
Barcelona is the capital city of Catalonia, a region in northeast Spain. It is the country's major port and the second-largest Spanish city. In 1992 Barcelona hosted the Olympic Games.

Cities, large and small, are made up of all sorts of interesting places. Although no two cities are exactly alike, there are things you'll find in almost all of them.

Can you guess what some of these things are? Which ones have you learned about already?

THE HERITAGE SPEAKER
Invite heritage speakers to describe a city in a Spanish-speaking country they have visited or where they have friends or family.

In this unit, you're going to:

- Learn the names of more places in a city
- Talk about where people and places are
- Describe how people are feeling and what things are like
- Learn how to combine words that talk about people and things
- Learn more about Spanish-speaking communities

¡Qué iglesia
tan hermosa!

El alcalde de Barcelona

¿Sabes que...?

● Most big cities in Spain and Latin
America have excellent subway and
bus systems.

● At the heart of Mexico City is *el
Zócalo.* It is a huge square surrounded
by many government buildings and a
cathedral that is several centuries old.

● As in the U.S., many Latin American
towns and cities have names that
come from their traditional cultures.
Some examples are Tegucigalpa,
Honduras, and Cuzco, Perú.

¿Hay muchos coches
en esta avenida?

¡HABLEMOS!

FOR THE NONSPECIALIST
Spanish words never begin with an **s** followed by a consonant. Many words that begin with an *s-* in English have a related word in Spanish that begins with an *es-*. One example is **escultura** *(sculpture)*. Have students think of other examples (**escuela** *(school)*, **estación** *(station)*.

¿Dónde te busco?

—Te veo en la plaza a las cuatro.

—Pero, ¿dónde? La plaza es muy grande.

—Me puedes buscar cerca de la fuente, delante de la alcaldía.

—De acuerdo. Hasta las cuatro.

la escultura

el museo

la iglesia

la alcaldía

la fuente

la plaza

el monumento

CULTURE: PHOTOS AND REALIA
Palacio de la Moneda is the name given to the presidential palace
in Santiago. The name derives from its original
purpose as the
treasury building.
It was completed
by the Spanish
Crown in 1799.

**Palacio
Presidencial
en Santiago
de Chile**

¿Le busco
en la
plaza…?

**¿Es moderna o antigua
esta fuerte española?**

Así es…

The Arabs who ruled Spain for seven centuries were masters of architecture. In the hottest parts of the country, they created buildings with cool, refreshing patios, where they could sit and rest. You'll find many such patios in the city of Córdoba, Spain.

TOWARD CULTURAL UNDERSTANDING
In many Spanish-speaking countries, a **palacio** is a large, public building that may
house government offices.

UNIDAD 9   193

PRACTIQUEMOS

○ You and a friend are visiting a large town in Chile. You're going to meet for lunch almost every day this week on the plaza. Arrange where you should meet each day so you'll be sure to find one another.

PARTNER A: Look at the day of the week. Ask where you should look for your partner on that day.

PARTNER B: Answer according to the picture.

—**¿Dónde te busco el lunes?**
—**Me puedes buscar cerca de la escultura.**

lunes

1. domingo

2. martes

3. miércoles

4. sábado

5. jueves

6. viernes

ENTRE AMIGOS

Here's your chance to be a master city planner! You're going to work with three or four of your classmates to design a beautiful plaza.

Where will you put everything? Decide among yourselves and make a rough sketch. Here are just a few of the many things you might include in your plaza.

jardines   **calles**   **iglesias**   **sinagogas** (synagogues)

museos   **fuentes**   **esculturas**   **aceras** (sidewalks)

Can you think of others? Don't forget about trees **(árboles)** and bushes **(arbustos)!** And don't forget about benches **(bancos)** so people can sit and enjoy the view!

Here's a sample plan for a plaza:

Once your group has worked out a rough sketch, make the final version with paints or markers on butcher paper

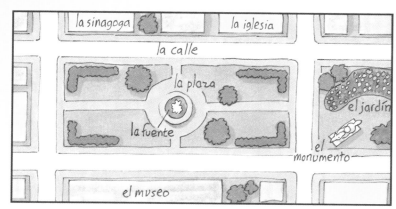

or posterboard. Label the different parts of the plaza.

Talk about your plaza with the other groups. How are your plazas alike? Different? What problems did you have designing your plaza? Use your plaza designs to decorate the classroom.

¡HABLEMOS!

¿Qué otros lugares hay en la comunidad?

—¿Hay un mercado al aire libre cerca de tu colegio?
—No, pero hay un supermercado muy cerca.

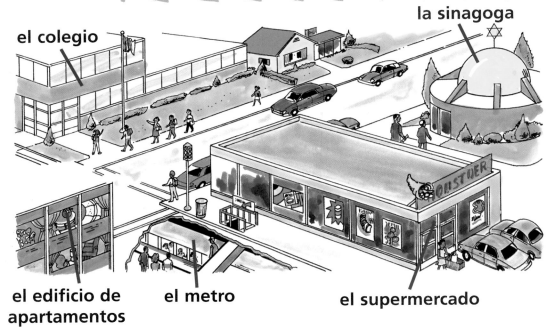

la sinagoga

el colegio

el edificio de apartamentos

el metro

el supermercado

el zoológico

el estadio

el mercado al aire libre

FOR THE NONSPECIALIST
The name **el zoológico** comes from **parque zoológico** (zoological park). Although **el colegio** (high school) resembles college, it is a false cognate.

Una estación del metro en Santiago de Chile

Voy a estar en el estadio a las dos.

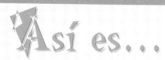

Así es... No matter where you go in Latin America or Spain, you'll always find an open-air market. Some of them are open only on certain days and specialize in things such as food, flowers, antiques, or clothing. Others are open every day and sell almost any type of merchandise you can imagine!

PRACTIQUEMOS

A. You've written a composition about what you're doing on Saturday. You've left a few words out, so now it's time to fill them in. Use words from the list that make sense.

EX. A ANSWERS

1. al colegio
2. al supermercado
3. al estadio
4. el metro
5. una plaza
6. un monumento
7. un apartamento
8. al zoológico

al colegio	una plaza	un apartamento
al estadio	al supermercado	al zoológico
la alcaldía	un monumento	el metro

No vivo en una casa. Vivo en _____.
No vivo en una casa. Vivo en un apartamento.

LANGUAGE ACROSS THE CURRICULUM
Social Studies   Have pairs of students prepare a research report on a city in Latin America or Spain. Have them copy or photocopy a map of the center of the city and show the location of the major attractions. As an extension, have each pair present their report to the class. Students may wish to present their report without mentioning the name of the city, and then challenge the class to guess which city it is.

Mi sábado

1. Hoy es sábado. No tengo que ir _____.

2. Por la mañana, voy con mi papá _____ para comprar carne y zanahorias.

3. A la una voy _____ para ver a los Titanes. Es mi equipo favorito de béisbol.

4. Voy a tomar _____ porque no me gusta el autobús.

5. La entrada para tomar el metro está en _____ grande.

6. Está muy cerca de _____ histórico.

7. A veces, voy a visitar a mi amigo Emilio. Él vive en _____ también.

8. Él y yo siempre vamos _____ por la tarde. Nos gusta ver los animales.

B. Ana María has never been to your area before. She writes you a letter in which she asks a number of questions. Write back to her answering her questions.

¿Dónde viven muchas personas?
Viven en un edificio de apartamentos.

1. ¿Dónde puedo ver un equipo de fútbol?

2. ¿Dónde puedo comprar leche y azúcar?

3. ¿En qué puedo viajar en la ciudad?

4. ¿Dónde puedo ver tigres y osos?

5. ¿Dónde hay escultura y arte antiguo?

6. ¿Dónde puedo comprar frutas frescas?

7. ¿En qué colegio puedo estudiar?

8. ¿Dónde puedo ver una fuente?

Esta estatua es un monumento a Simón Bolívar.

ENTRE AMIGOS

 Get together with a partner. Sit so you and your partner can't see what the other is writing or drawing.

First sketch a simple neighborhood scene from above. It might be **una calle, una esquina** *(corner)*, **un parque,** or **una plaza.** Include a few different kinds of places in your sketch, such as **una iglesia, un banco, un colegio,** etc. Be specific where you put each place in your sketch. Label each place, so you don't forget what it is.

Now take turns describing your sketch as accurately as you can to your partner. He or she must draw it based on what you say. You'll need to use commands and expressions like **a la derecha, a la izquierda, delante de,** and **detrás de.**

When you've finished describing your neighborhood scene, compare your partner's drawing with your own. How close did he or she come to the original?

¿CÓMO LO DICES?

Talking about people and places

Study the scene and read the paragraph to see different ways to use the verb **estar.**

Esta tarde mis amigos y yo **estamos** visitando el zoológico. Aurelia y yo **estamos** muy contentos, pero Julio **está** triste. No le gusta ver los animales en las jaulas. A nosotros nos gusta ver el oso polar. La jaula del oso polar **está** cerca de una fuente grande. Después de caminar por todo el zoológico, **estamos** muy cansados. Nos duelen los pies. Todavía tenemos que caminar a la parada de autobús. La parada **está** muy lejos del zoológico. ¡Caramba!

In this paragraph, the verb **estar** is used in three ways:

● to talk about where things are

● to talk about how people are feeling at the moment

● to talk about what someone is doing right now

Now read the paragraph on page 201 again, and see if you can answer these questions:

Can you find an example in which **estar** is used to talk about where things are?

La jaula del oso polar **está** cerca de una fuente grande; La parada **está** muy lejos del zoológico.

Can you find an example in which **estar** is used to talk about what someone is doing right now? Remember, when you use **estar** in this way, you have to use it together with a verb in the **-ando** form or the **-iendo** form.

Esta tarde mis amigos y yo **estamos** visitando el zoológico.

Can you find an example in which **estar** is used to talk about how someone is feeling at the moment?

Aurelia y yo **estamos** muy contentos, pero Julio **está** triste. Después de caminar por todo el zoológico, **estamos** muy cansados.

Here are some examples to help you out. Can you guess what each one means?

Está contenta.

Está triste.

Está cansado.

Está confundida.

Está enojado.

Está nerviosa.

FOR THE NONSPECIALIST
Although **estar** takes singular or plural forms, depending on whether its subject is singular or plural, an adjective following **estar** must agree in both number and gender by the noun described by that adjective.

Do you remember that you can also use **estar** to talk about things that are only temporary?

¡La sopa **está** muy caliente!

¡ÚSALO!

○

A. It's a busy day in the neighborhood! What's everyone doing?

PARTNER A: Ask the questions.

PARTNER B: Use the picture and the verbs in the list to answer.

—¿Qué está haciendo Tomás?
—**Está pintando la casa.**

jugando	comiendo	descansando	corriendo
caminando	abriendo	pintando	subiendo

1. ¿Qué está haciendo Inés?

2. ¿Qué está haciendo Carlos?

3. ¿Qué están haciendo la Sra. Luna y Pepe?

4. ¿Qué hacemos Éster y yo?

5. ¿Qué hace el Sr. Uribe?

6. ¿Qué hacen Ana y Luis?

B.

Now use the picture of the neighborhood on page 203 to tell where the people and things are.

PARTNER A: Ask the questions.

PARTNER B: Choose the correct phrase and answer the questions.

¿Dónde está el Sr. Uribe?
en el techo / en el jardín / en el patio
—¿Dónde está el Sr. Uribe?
—**El Sr. Uribe está en el patio.**

1. ¿Dónde está el radio?
   cerca de Ana / cerca de Tomás / cerca de Pepe

2. ¿Dónde están los pájaros?
   en el jardín / en el techo / en el garaje

3. ¿Dónde está Inés?
   en el patio / en la calle / en la casa

4. ¿Dónde está el perro?
   cerca de Carlos / cerca de Éster / cerca de Luis

Unas casas en Buenos Aires, Argentir

C. How are your classmates feeling today? Ask five of them the question **¿Cómo estás?** to find out. Write down their answers, and answer their questions. Use the pictures on page 202 for some possibilities, or use other ways of describing how you feel right now.

La Plaza Cataluña está en Barcelona, España. ¿Hay plazas bonitas en tu comunidad?

ENTRE AMIGOS

Put your Spanish skills to the test on the phone!

Agree on a time to call your partner on the phone. Decide beforehand who will ask most of the questions and who will answer. Your phone conversation should be only in Spanish.

The questioner should ask at least these questions:

> **¿Cómo estás?**
> **¿Dónde estás ahora?**
> **¿Con quién estás?**
> **¿Cómo está tu familia/amigo/amiga?** *(Ask about the person or people your partner is with.)*
> **¿Qué está (están) haciendo?**

The next day, report to the class on your phone conversation as though they are listening in while you are talking to the person, and you're telling them what's being said on the phone.

> **Jaime dice que está...**

PRESENTATION SUGGESTIONS
You may wish to bring telephone props to class to help make students' enactments of their conversations more vivid.

Combining words to talk about people and things

In previous units, you've learned how pronouns can replace words that refer to people and things. You've used direct and indirect object pronouns in sentences with only one verb. What happens in sentences that have more than one verb? Look at these pictures and examples.

—¿Tengo que recoger mis **cosas?**
—Sí, tienes que **recogerlas** ahora mismo.

—¿Qué puedo comprar para mi **mamá?**
—Puedes **comprarle** unas frutas tropicales.

What word is attached to the infinitive **recoger?** Is it a direct or an indirect object pronoun? What does it refer to? The pronoun **las** is attached to **recoger**. It is a direct object pronoun. It refers to **las cosas.**

What word is attached to the infinitive **comprar?** Is it a direct or an indirect object pronoun? What does it refer to? The pronoun **le** is attached to **comprar**. It is an indirect object pronoun. It refers to **mamá.**

Where else can you place the direct and indirect object pronouns? Look at these sentences:

Direct	**Indirect**
Busco mis libros.	¿Vas a traer mis libros?
Los voy a buscar en la sala.	**¿Me** vas a traer los libros hoy?
Voy a buscar**los** debajo del sofá.	¿Vas a traer**me** los libros ahora?
Acabo de llamar a Luisa.	Hago una pregunta a ustedes.
La acabo de llamar.	**¿Les** puedo hacer una pregunta?
Acabo de llamar**la** por teléfono.	¿Puedo hacer**les** la pregunta ahora?

Did you notice that in these sentences, you have two choices? You can put the object pronoun before the first verb, or you can attach it to the end of the infinitive (the second verb). Either position is correct. This is true both for direct and indirect object pronouns.

Here's a chart of all the direct and indirect object pronouns you need to use.

Direct		**Indirect**	
Singular	**Plural**	**Singular**	**Plural**
me	nos	me	nos
te		te	
lo	los	le	les
la	las	le	les

FOR THE NONSPECIALIST

In sentences using both direct and indirect object pronouns, the indirect object

Artesanía guatemalteca

pronoun comes first. For example, **¿Vas a traérmelos? Sí, te los traigo.** Both direct and indirect object pronouns may be connected to the infinitive form of the verb. When both kinds of pronouns are used, the indirect object pronoun precedes the direct object pronoun: **¿Vas a comprármelo?**

A. You've just moved to a new house. Your friend is asking where you're going to put your things.

PARTNER A: Ask the question **¿Dónde vas a poner...?** using the first clue.

PARTNER B: Answer two different ways, using the words in parentheses.

¿tus calcetines? (en el tocador)
—**¿Dónde vas a poner tus calcetines?**
—**Voy a ponerlos en el tocador.**
  Los voy a poner en el tocador.

1. ¿tus libros? (el estante)
2. ¿tu radio? (la mesita)
3. ¿tus camisetas? (el ropero)
4. ¿tu teléfono? (el estante)
5. ¿tu lámpara? (la mesita)
6. ¿tus carteles? (la pared)

EXTENSION
Go around the room pointing to familiar objects and asking students where you should put them.

B. Everyone you know seems to be having a birthday this month! Tell what you can buy each of these people, but don't use their names—use pronouns. Remember that you can say each sentence two different ways.

Puedo comprar una camiseta para Elisa.
Puedo comprarle una camiseta. OR
Le puedo comprar una camiseta.

1. Puedo comprar unos libros para Francisco.
2. Puedo comprar un cuaderno para Carla.
3. Puedo comprar bolígrafos para Gustavo y Nora.
4. Puedo comprar un reloj para mi abuela.

ENTRE AMIGOS

Time for "Pronoun Baseball"! You'll need a light ball, such as a tennis ball or foam rubber ball.

Divide the class into two teams ("A" and "B"). The two teams should face each other. A member of Team A starts the game by throwing the ball to a member of Team B and asking a question about where you have to put something away.

The player on Team B then has ten seconds to answer the question using a direct object pronoun. He or she then quickly asks another question about where you have to put something and throws the ball to a player on Team A.

Whoever takes too much time or asks or answers incorrectly must sit down. The team with the last person standing wins.

Questions can be about common things you have at home or about classroom objects. For example:

> —¿Dónde tienes que poner tus zapatos?
> —Tengo que ponerlos en el ropero.

Later, try playing with different kinds of questions—for example, what you can give others for birthdays or holidays.

> —¿Qué puedes dar a tus hermanos para el cumpleaños?
> —Les puedo dar camisetas.

Think fast and keep your eye on the ball!

RE-ENTER/RECYCLE
Review prepositions and location expressions by giving students simple commands such as **Pon el libro debajo del escritorio** or **Pon la silla cerca de la puerta.**

¡A divertirnos!

Can your group create a funny, simple comic strip (**tira cómica**) like this one in Spanish?

Plan your comic strip together first. Keep it short—two to four frames. Make rough sketches and try different Spanish sentences.

It's all right to start with an idea in English and convert it to Spanish, but the idea is to use the Spanish you already know.

Make your comic strips big and hang them around the classroom! Visitors are sure to get a kick out of them!

UNIDAD 10

Additional teaching suggestions are found in the Unit Plan in the front section of this Teacher's Edition.

De un lugar a otro

TAP BACKGROUND KNOWLEDGE
Ask students to relate stories of when they or someone they know got lost in a city. Did they ask a police officer for directions? How did they finally find their way?

Getting around in a foreign city or country can be fun and exciting— especially if you speak the language!

You may sometimes get lost and need to ask directions, or you may need to get other information, but since you know Spanish, that won't be a problem!

In this unit, you're going to:

TOWARD CULTURAL UNDERSTANDIN
Students may be interested in learning that the metric system was first adopted France in 1799. Today, the United States is one of the only countries in the world that does not use the metric system.

- Learn words useful for getting around in the city

- Talk about finding (and losing!) your way

- Practice telling others politely what to do and what not to do

- Learn more about towns and cities in Spanish-speaking countries

PRESENTATION SUGGESTIONS
Have students explain what the road signs on p. 212 refer to. In particular, ask what **km 35** means. (**km** is the abbreviation for **kilómetro**.)

VICENTE LOPEZ
BUENOS AIRES

BOULOGNE
SAN ISIDRO

MEXICO
22

Km
3
5

212 ¡Adelante!

El policía orienta
a la señorita.

Actividades en la calle, Barcelona, España

¿Sabes que...?

- Distances in Spanish-speaking countries are expressed in the metric system, using *metros* (meters) and *kilómetros* (kilometers).

- In most Spanish-speaking cities, you can find good city maps *(planos)* in newsstands right on the street.

- In Mexico City's *Zona Rosa* (Pink Zone), you'll find special tourist police who will be happy to help you out with directions.

Vista aérea de la
Ciudad de México

CULTURE: PHOTOS AND REALIA
Mexico City is the world's largest metropolis, with
a population of over 17 million people. Founded
as the capital of the Aztec Empire in 1325, it is the oldest capital in the Americas.

UNIDAD 10   213

¿Dónde está tu casa?

—¿Dónde está tu casa?

—Está cerca de la esquina. Hay un farol delante de la casa.

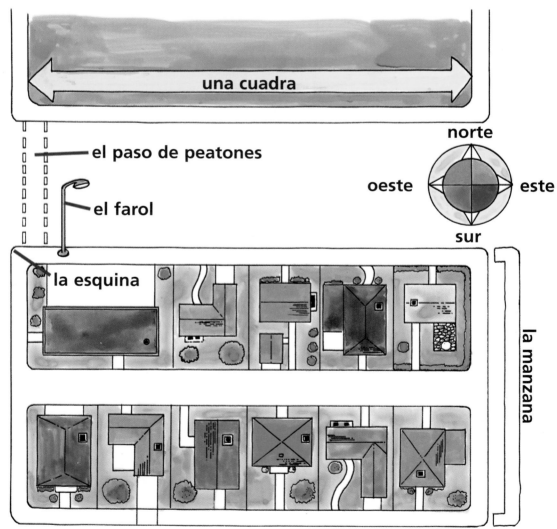

una cuadra

norte

oeste   este

sur

el paso de peatones

el farol

la esquina

la manzana

CRITICAL THINKING
Ask students what else **la manzana** refers to *(apple)*. Have students offer suggestions for why they think this is an appropriate name for a city block, and to make up a story telling how this name first came to be used.

214   *¡Adelante!*

—Perdón, señor. ¿A cuántas cuadras está el parque de aquí?

—No está lejos. Tienes que caminar dos cuadras más al norte. Allí está.

Paseo en Barcelona, España

El metro

¿Te gusta esta ciudad?

Así es... Most cities in Spain and other parts of Europe were built long before cars were invented. The streets in the oldest parts are sometimes only wide enough for one small car at a time to get through. Parking can be a real problem. In some places, it's legal to park right on the sidewalk.

PRACTIQUEMOS

○ **A.** You're preparing a report on Spain for your geography class. Study the map. In each sentence, fill in the blank with the direction that indicates where the city is located.

Madrid está _____ de Málaga.
Madrid está al norte de Málaga.

EX. A
ANSWERS

1. al oeste
2. al norte
3. al sur
4. al este
5. al este
6. al sur

1. Salamanca está _____ de Segovia.

2. Barcelona está _____ de Valencia.

3. Madrid está _____ de Burgos.

4. Valencia está _____ de Madrid.

5. Málaga está _____ de Cádiz.

6. Toledo está _____ de Madrid.

B. You're good at finding your way around. How good are you at reading **un plano de la ciudad?** Look back at page 214 and answer these questions.

—¿Cuántas casas hay en la manzana?
—**Hay once casas en la manzana.**

1. ¿Dónde está el farol?

2. ¿La cuadra va del oeste al este o del norte al sur?

3. ¿El farol está al sur o al norte de las casas?

4. ¿El paso de peatones está en la esquina?

5. ¿Es la manzana un cuadrado o un rectángulo?

ENTRE AMIGOS

With a partner, choose a map of an area that interests you from an atlas, road atlas, or geography book. You might choose your own state or a country you'd like to visit.

Take turns picking two different places on the map. Ask and answer questions about the places. Remember, in Spanish-speaking countries distance between cities is measured in **kilómetros**. In the U.S., it is measured in **millas** (miles).

¿San Diego está al norte o al sur de Los Ángeles?

¿A cuántos kilómetros está Guadalajara de Puerto Vallarta?

¡HABLEMOS! OVERHEAD TRANSPARENCY 26

¿Queda adelante o atrás?

PRESENTATION SUGGESTIONS
Have students try to guess the meanings of **adelante, atrás, rápido,** and **despacio** from context and picture clues.

—Perdón, señora. ¿Queda adelante o atrás el almacén?

—Queda atrás.

—Gracias, señora. Tengo que encontrarme con mi papá. No quiero perderme.

Queda adelante.

Queda atrás

perderse

encontrarse

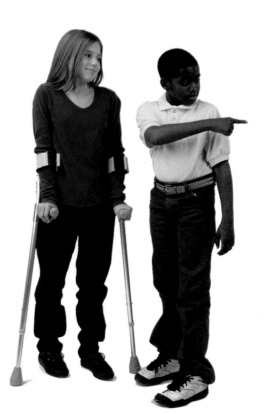

218 *¡Adelante!*

Streets in Latin America and Spain are often named for writers, artists, or political figures. Some streets are named for the date when an important historical event took place (e.g., **la avenida Cinco de Mayo**).

—¿Cómo es el tráfico aquí?

—Bueno, ahora va rápido, pero por las mañanas va despacio.

Va rápido.

Va despacio.

¿Va rápido o despacio este tren?

¿Queda adelante la estación del metro?

 **Así es...** In places like Caracas, Venezuela, some streets change names every few blocks. But if you know the section of the city you're in, and a few landmarks, it's rare that you'd get lost. And if you do, just ask for directions!

CULTURE: PHOTOS AND REALIA
The city of Sevilla, in southern Spain, hosted Expo '92, the international world exposition. Sophisticated technology like the high-speed train pictured here was on display at the Expo.

PRACTIQUEMOS

○ **A.** From your window on the third floor, you can see what is happening on the street. Describe what you see. Use words or phrases from this unit to fill in the blanks.

> Hay un parque en _____.
> **Hay un parque en una manzana.**

EX. A ANSWERS

1. el paso de peatones
2. adelante
3. a la derecha
4. rápido
5. perderse
6. atrás
7. faroles
8. despacio

1. El perro y el muchacho caminan en _____.

2. El muchacho va al parque. El parque le queda _____.

3. Un autobús dobla _____.

4. Una mujer corre muy _____.

5. Un turista estudia un plano. No quiere _____.

6. El turista está lejos del parque. El parque le queda _____.

7. Hay pájaros en los _____.

8. Una muchacha camina muy _____.

EXTENSION
Continue by asking questions about the illustration. For example, **¿Quién está cerca del parque? ¿Qué hay en el parque? ¿Qué lee el turista?** etc.

B. José Zamora lives in Bolivia. He's never visited your city. Answer his questions. Use **millas** for miles when appropriate.

PARTNER A: You're José. Ask the questions.
PARTNER B: Answer José's questions truthfully.

—¿A cuántas millas o cuadras está tu casa de la escuela?
—**Mi casa está a (cuatro millas) de la escuela.**

1. ¿Vives al norte, al sur, al oeste o al este de la escuela?

2. ¿A cuántas millas o cuadras está tu casa del supermercado?

3. ¿Va rápido o despacio el tráfico delante de tu casa?

4. ¿A cuántas millas o cuadras está tu casa de la casa de un amigo?

5. ¿Puedes perderte en tu ciudad?

ENTRE AMIGOS

Work with a map of your neighborhood or town. You often can get such local maps from the Chamber of Commerce or from real estate offices.

Choose a starting point. It might be your school. Then choose a destination. Note down step-by-step directions in Spanish to get from one point to the other. You don't have to choose the easiest or straightest route!

Give the directions to a partner while he or she traces the route on the map. Can you get your partner to the destination the way you planned? What problems come up?

¿CÓMO LO DICES?

FOR THE NONSPECIALIST
Familiar commands are used when addressing friends, family members, and classmates. The familiar command form is the same as the third person singular (**él/ella/Ud.**) form of the present tense.

Giving commands and instructions

You've already had some practice giving commands and instructions to people you address as **tú.**

PACO: ¡Ay! Estoy cansado.
INÉS: **Camina** un poco más. El parque queda adelante.

MARIO: ¿Qué tengo que hacer para la clase de inglés?
LUIS: **Lee** la lección y **escribe** un reporte.

Do you remember what verb form to use when you give a **tú** command using regular **-ar, -er,** and **-ir** verbs? This chart will help.

Verb Type	Infinitive Form	Él / Ella Form	Familiar Command
-ar	mirar	mira	**¡mira!**
-er	correr	corre	**¡corre!**
-ir	abrir	abre	**¡abre!**

If you want to give a familiar command with a reflexive verb, you simply add **-te** to the **él / ella** ending:

¡**Levántate** ahora mismo! Es tarde.
¡**Cepíllate** los dientes y **lávate** la cara! Luego, puedes salir.

Did you notice that you add an accent mark to these commands? The accents help you know which syllable to stress when you say the command.

¡ÚSALO!

A. If you ever need a favor, just ask Eugenia. She's always doing things for others. Use the clues to give polite commands to Eugenia.

traer los libros
Eugenia, trae los libros, por favor.

1. abrir la puerta
2. lavar los platos
3. planchar la camisa
4. escribir la lección
5. barrer el piso
6. recoger los papeles

Eugenia, recoge la mola, por favor.

B. You're baby-sitting little Paquita. It's her bedtime, but she's not cooperating. You have to get a little firmer with her. Change each sentence into a command.

> Tienes que quitarte los zapatos.
> **¡Quítate los zapatos!**

1. Tienes que cepillarte los dientes.

2. Tienes que bañarte.

3. Tienes que usar jabón y agua caliente.

4. Tienes que secarte con la toalla.

5. Tienes que peinarte.

6. Tienes que quitar la ropa de la cama.

C. **¡Pobre Roberto!** All day long people are telling him what to do, including you. Complete the sentences with the correct command forms of the words in parentheses.

> ¡Ay, Roberto! Primero, _____ los platos. Luego, _____ los platos con la toalla. (lavar / secar)
> **¡Ay, Roberto! Primero, lava los platos. Luego, seca los platos con la toalla.**

1. ¡Ay, Roberto! Primero, _____ el libro. Luego, _____ la lección. (leer / escribir)

2. ¡Ay, Roberto! Primero, _____ tres cuadras. Luego, _____ a la derecha. (caminar / doblar)

3. ¡Ay, Roberto! Primero, _____ las cosas de la alfombra. Luego, _____ la aspiradora. (recoger / pasar)

4. ¡Ay, Roberto! Primero, _____ un poco. Luego, _____ un poco. (trabajar / descansar)

ENTRE AMIGOS

Playing **Simón dice** is always a fun way to practice giving commands. Take turns playing with a partner. Change roles when he or she does the wrong thing or obeys the command when you haven't said **"Simón dice."**

Use as many verbs as you can! Get your partner moving around the room. He or she should actually do the command whenever possible. Others actions can be pantomimed. Here are a few to get you started:

> **Simón dice: Levántate.**
> **Simón dice: Camina hasta la puerta.**
> **Simón dice: Abre la puerta.**
> **Simón dice: Cierra la puerta.**
> **Simón dice: Dobla a la izquierda.**
> **¡Cepíllate los dientes!**

¿Cómo lo dices?

Telling others what not to do

Look at these pictures and sentences to see how to tell people not to do something.

ROSA: Estoy enojada con Ramón.
LIDIA: Pues, **no hables** con él.

CARLOS: Todavía tengo mucha hambre.
DIEGO: **¡No comas** mi sándwich!

ANA: José, ¿puedo entrar?
JOSÉ: ¡No! Por favor, **¡no abras** la puerta!

FOR THE NONSPECIALIST
The negative commands of the **tú** forms have a vowel change in the ending. Commands of **-ar** verbs have **-es** endings, and commands of **-er** and **-ir** verbs have **-as** endings.

Did you notice that the verb forms for the negative commands used were like the **tú** form, with one change? Instead of saying **no hablas,** you say **no hables.** Instead of saying **no comes,** you say **no comas.** And instead of saying **no abres,** you say **no abras.**

Look at this chart of negative commands:

Verb Type	Infinitive Form	Tú Form	Negative Familiar Command
-ar	mirar	miras	¡no mires!
-er	correr	corres	¡no corras!
-ir	abrir	abres	¡no abras!

When you make negative **tú** commands with regular verbs, you use these endings:

for **-ar** verbs, add **-es** to the stem
for **-er** verbs, add **-as** to the stem
for **-ir** verbs, add **-as** to the stem

EXTENSION
Play **Simón dice...** again, this time adding the element of negative commands. Students who do what they are told not to do are "out" for the round.

No camines ahora.

CULTURE: PHOTOS AND REALIA
Like most major cities around the world, Madrid has a problem with traffic congestion. One factor that compounds traffic in Madrid's case is its geography. Situated almost at the center of Spain, Madrid serves as the crossroads for many of the country's highways.

A. Your little sister is trying to help you clean the house. Sometimes this means trouble! Use the word in parentheses to tell her what not to do.

> ¡No _____ el piso con tu camisa! (limpiar)
> **¡No limpies el piso con tu camisa!**

1. ¡No _____ el polvo con las manos! (quitar)

2. ¡No _____ los platos en agua fría! (lavar)

3. ¡No _____ el piso con el trapeador! (barrer)

4. ¡No _____ sobre el piso limpio! (correr)

5. ¡No _____ la puerta del horno! (abrir)

B. Fernando collects good advice from all over. Tell him some things you've found to be helpful. Use the word in parentheses to complete the negative command.

> Cepíllate los dientes después de comer. No (usar) un cepillo viejo.
> **No uses un cepillo viejo.**

1. Ahorra el dinero. No (gastar) mucho en juegos y otras cosas.

2. Corre en el parque o en el gimnasio. No (correr) en la calle.

3. Cuando estás comiendo, no (hablar) con comida en la boca.

4. Estudia mucho. No (mirar) mucha televisión.

C. How well can you state the rules of conduct in public places? Use the clues to write some rules. Then tell a partner what the rules are.

el zoológico / correr delante de los animales
En el zoológico, no corras delante de los animales.

1. el cine / hablar con sus amigos

2. la escuela / subir las escaleras muy rápido

3. el parque / escribir en las paredes

4. el mercado al aire libre / gastar mucho dinero

5. el museo / correr en los pasillos

6. la iglesia / comer cosas

No traigas el perro, y cuida el parque.

ENTRE AMIGOS

Are you a considerate person? How many of your own rules for considerate behavior can you come up with?

Write down as many rules or pieces of advice as you can. You should write at least four. Lay them out like the clues in Exercise C on page 229.

Think of different situations in which consideration is important: with your family, in school, in the street, and so on. Here are some examples (**durante** means "during," **llena** means "full," and **cruzar** means "to cross"):

> **en la escuela / dormir durante las clases**
>
> **durante la cena / hablar con la boca llena**
>
> **en la calle / cruzar cuando el semáforo está rojo**

Exchange your clues with a partner. Use your partner's clues to write sentences that contain commands, then state the rules to one another.

EXTENSION
Have students write letters to an imaginary advice columnist. Students may then exchange letters and respond with their own advice.

¡A divertirnos!

The ideas behind many sayings in English are the same as in Spanish. Sometimes these ideas are even said with similar words. Sometimes different words are used.

Here are some Spanish sayings and similar sayings in English. With your partner, choose one and make a cartoon poster that shows what's being said.

Use a Spanish-English dictionary or talk to a Spanish-speaking friend to find out about the words you don't know. If the Spanish and English versions use different words and images, decide which version your picture will show. Copy both the English and the Spanish saying neatly on your poster.

¡No pierdas la cabeza!	Take it easy! OR Don't have a cow!
No cantes gloria antes de victoria.	Don't count your chickens before they're hatched.
No pidas peras al olmo.	You can't get blood from a stone.
¡No te achiques!	Courage! Keep your chin up!
Habla poco y escucha mucho.	Speak little; listen much.
¡No tengas pelos en la lengua!	Speak up! Don't be shy!
No te andes con medias tazas.	Don't beat around the bush.

ENRICHMENT
Bring in a book of Spanish sayings or **refranes** from the library. Such books are generally organized by topics or by key words. Post a new **refrán** on the bulletin board or blackboard every week and discuss its meaning and humor.

UNIDAD 11

For additional teaching suggestions, see the Unit Plan in the front section of this Teacher's Edition.

De compras

Shopping can be fun, especially if you're buying a gift for someone.

TAP BACKGROUND KNOWLEDGE
To establish the context of the unit, give students a chance to discuss their shopping habits. What are their favorite things to buy? Where are their favorite places to shop for those things?

But whether you're looking for a piece of jewelry for someone special or picking out some clothes for yourself, a lot of the fun is just in being out and seeing all the great things there are.

In this unit, you're going to:

● Learn the names of people and places related to shopping

● Talk about buying gifts

● Learn the names of things you find in music stores, jewelry stores, and shoe stores

● Learn to talk about things that happened in the past

¿Cuánto cuesta?

De compras en Buenos Aires

¿Sabes que...?

- Colombia is one of the world's leading producers of emeralds, beautiful green gemstones.

- Leather items are inexpensive and of excellent quality in places like Argentina, Spain, and Colombia.

- Indoor shopping malls in Latin America are popular places for kids to meet and have fun, just as in the U.S.

Zapatos para muchachas

¡HABLEMOS!

¿Qué piensas comprar?

—¿Qué piensas comprar?

—Tengo que comprar un regalo para mi mamá.

—¿A ella le gustan los collares?

—¡Buena idea! Vamos a la joyería. Hablamos con el joyero.

la joyería

el joyero

la joyera

las joyas

el regalo

el brazalete

el llavero

el collar

LANGUAGE ACROSS THE CURRICULUM
Art Have students work in small groups to make jewelry out of paper, wire, clay, beads, flowers or other material.
Encourage them to
use their imagination.
Display the handmade
jewelry and use it for
role-playing activities.

—¿Algo en especial, señor?
—Sí. Quiero ver los collares.

CULTURE: PHOTOS AND REALIA
Joyería en Santiago de Chile

This jewelry was made by the Araucano indigenous people of Puerto Monte, a city on the southern coast of Chile. Jewelry and sweaters designed by them can be bought at the local market stands as well as at jewelry stores.

The girls in the second photo are in Córdoba, Argentina's second largest city located almost 200 miles northwest of Buenos Aires. Several of its downtown streets have been turned into pedestrian malls, lined with galleries and shops.

La joyera atienda
a sus clientes.

HERITAGE SPEAKER
heritage speakers to tell about jewelry from their
countries. Tell them to come prepared to explain a
out the cultural traditions behind the jewelry. Some
esearch might be required

Así es... Rings, bracelets, necklaces, and other jewelry made from gold and silver are popular purchases throughout Latin America, not only for tourists, but for local people as well. In many places, the designs of the jewelry reflect the cultural traditions of the country's past.

PRACTIQUEMOS

RE-ENTER/RECYCLE To recycle material from past units, vary the model when you do the exercise orally. For example, practice **querer** by changing **Quiero comprar…** to **Queremos comprar…** or **Quieren comprar…**

You're in the **joyería.** Look at the picture and tell **el joyero** what you want to buy.

Quiero comprar un brazalete.

1.

2.

ANSWERS

1. Quiero comprar un collar.

2. ...un llavero.

EXTENSION
Have students repeat the exercise, adding a statement about what they're going to do with each purchase.
(Quiero comprar un collar. Lo voy a dar a mi tía.)

3.

3. ...unas joyas.

4.

4. ...un regalo.

¿Te gusta esta joyería de Chile?

236   *¡Adelante!*

ENTRE AMIGOS

See how well you know your classmates.

Guess how many of your classmates are wearing or have with them the following items:

EXTENSION
After completing the activity, challenge groups to make other graphs about the class, based on items studied in past units. Possible category sets include articles of clothing, hair type, and hair color.

una joya　　　　　**un collar**
un llavero　　　　**un brazalete**

Write your guesses down on a piece of paper.

Now listen as your teacher calls out the names of the different items in sequence. Stand up if you are wearing that item or have it with you at school. Remain seated if you don't.

Be sure to count how many people stand as the different items are named. Make a bar graph of the results. Look at Julia's graph.

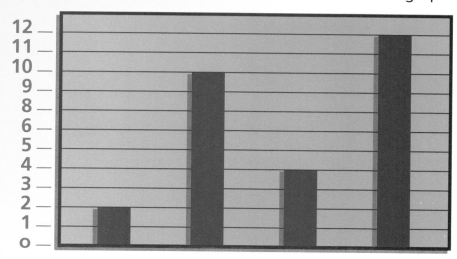

| | joyas | collares | llaveros | brazaletes |

How close were your guesses to the actual numbers?

ASSESSMENT OPPORTUNITY
Have students write a short paragraph describing what jewelry they and their classmates are wearing. Collect papers to assess student assimilation of vocabulary.

UNIDAD 11　237

¡HABLEMOS!

¿Son baratos o caros los zapatos?

—¿Son baratos o caros los zapatos?

—¿Qué dice el zapatero?

—Dice que cuestan setenta y cinco dólares.

—Entonces, son caros.

la zapatería

las bolsas

el cinturón

el zapatero

los zapatos

las sandalias

Estos zapatos son baratos. Los quiero comprar.

—¿Vas a comprar el disco o el disco compacto?

—Bueno, pienso comprar el casete.

la tienda de discos

el disco **el disco compacto** **el casete**

Área turística de la Zona Rosa, Ciudad de México

pedestrian malls make **la Zona Rosa** a popular meeting place for Mexicans and tourists alike.

Así es... *Zapaterías* are a kind of do-all store in Spanish-speaking countries, particularly in smaller towns. Not only can you buy new shoes there, but you can have all your shoe repairs done, as well. They sell many kinds of leather goods, sometimes serve as tailor shops, and offer all sorts of handyman repairs.

PRACTIQUEMOS

○ **A.** You're shopping with your sister, and she's having a hard time deciding what to buy. Look at the pictures and tell her what to buy and what not to buy.

EX. A ANSWERS

1. ¡No compres la bolsa!
2. ¡Compra las sandalias!
3. ¡Compra el llavero!
4. ¡No compres el casete!
5. ¡Compra el brazalete!
6. ¡No compres el cinturón!
7. ¡Compra el disco compacto!
8. ¡No compres el collar!

¡No compres  !

EXTENSION
After completing Ex. A, have students role-play the situation using vocabulary cards or props. Encourage use of direct object pronouns whenever possible.

¡No compres el disco!

1. ¡No compres !   **5.** ¡Compra !

2. ¡Compra !   **6.** ¡No compres !

3. ¡Compra !   **7.** ¡Compra !

4. ¡No compres !   **8.** ¡No compres !

◑ **B.** A friend visiting from Costa Rica needs to buy some things, but she doesn't know where to go.

PARTNER A: You're the friend. Look at the picture and say what you need.

PARTNER B: Tell your friend where she has to go and with whom to talk. Use the list.

—Necesito comprar zapatos.
—Tienes que ir a la zapatería. Habla con el zapatero.

1.  **2.**

3.  **4.**

5.   **6.**

la tienda de discos	la joyera
la joyería	el zapatero
la zapatería	la vendedora

C. You're shopping with a friend. He's telling you the prices of items, and you're deciding if they're expensive or not.

PARTNER A: Tell the price of the item.
PARTNER B: Say whether it's expensive or not.

Joyas: $368.00
—**Joyas: trescientos sesenta y ocho dólares**
—**Las joyas son caras.**

1. Disco: $10.00   **4.** Llavero: $3.00

2. Cinturón: $50.00   **5.** Casete: $18.00

3. Collar: $75.00   **6.** Bolsa: $19.00

ENTRE AMIGOS

Where are your favorite shops in town? Draw a map of your town or section of the city, and label the **zapaterías, tiendas de discos,** and **joyerías.** You can label any other store that you want, as well. Then get together with a partner. Ask and answer questions about each other's map and the places you labeled.

LISTENING COMPREHENSION
Create a model neighborhood map on the board or use the one shown on this page. Check listening skills by describing a route from one point to another and asking students where you are. For example: **Estoy en la joyería. Camino dos cuadras y doblo a la derecha. Camino hacia la escuela. Delante de la escuela cruzo la calle. ¿Dónde estoy?**

—**¿Dónde está tu zapatería favorita?**
—**Está en la avenida Alameda. Camina tres cuadras al este de la escuela. Está en la esquina con calle Rojas.**
—**¿Qué puedes comprar en la zapatería?**
—**Zapatos, cinturones, sandalias...**

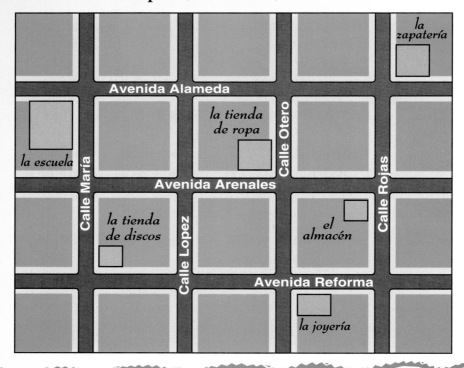

¿CÓMO LO DICES?

TPR
To demonstrate the use of the preterite verb forms, issue different TPR commands to two students. Then ask other students who did what. For example: **Olga, camina hacia la ventana.** Then ask: **Alejandro, ¿quién caminó hacia la ventana?**

Talking about actions in the past

Look at these pictures and sentences. Can you tell what these people are talking about?

Ayer **compré** un collar.

Ayer **compramos** unos casetes.

—¿Elisa **compró** dos regalos?
—Sí, **compró** un llavero y un cinturón.

—¿**Compraron** muchas cosas?
—Sí, **compraron** zapatos, discos y brazaletes.

EXTENSION
Ask for volunteers to say what they bought recently.

LANGUAGE ACROSS THE CURRICULUM
Language Arts Give students five minutes to work in small groups and brainstorm a list of words and phrases in English used to talk about actions in the past. What Spanish words on this page do they think fall under the same category?

In all these examples, the people are talking about buying things in the past. You use **compré** to say that you bought something, and **compramos** to say that you and someone else bought something.

Similarly, you use **compró** to say that someone else bought something, and **compraron** to say that more than one person bought something. All these forms of the verb **comprar** are in the past tense.

To learn other forms of **comprar** in the past tense, look at this chart.

comprar

Singular		Plural	
yo	compr**é**	nosotros, nosotras	compr**amos**
tú	compr**aste**		
él ella usted	compr**ó**	ellos ellas ustedes	compr**aron**

What ending do you use if you're talking to a friend about what he bought yesterday? What ending do you use if you're talking to more than one friend?

Since **comprar** is a regular **-ar** verb, once you learn how to use all the past tense endings with it, you can use any other regular **-ar** verb in the past tense.

To make it easier to talk about things you and others did in the past, certain words are very helpful.

> **Ayer** caminé en el parque.
> Habló con Ricardo **la semana pasada.**
> Viajamos a Europa **el año pasado.**

Ayer means "yesterday," and **la semana pasada** means "last week." What does **el año pasado** mean?

○ **A.** Yesterday was your mother's birthday. Tell what everyone bought her by completing the sentences.

José y Jorge le _____ un casete.
José y Jorge le compraron un casete.

EXTENSION
After students have completed Ex. A, ask them what their family or friends bought them for their last birthday.

EX. A ANSWERS
1. compramos
2. compraron
3. compró
4. compraron
5. compró

1. Adela y yo le _____ una bolsa.

2. Mis abuelos le _____ un vestido.

3. Mi papá le _____ un collar y un brazalete.

4. Sus tíos le _____ un suéter.

5. Mi prima le _____ un disco compacto.

 B. You're talking with a friend about what you did yesterday.

PARTNER A: Ask if your partner did the activity yesterday.

PARTNER B: Use the word in parentheses to answer.

ayudar a tu abuelo (sí)
—¿Ayudaste a tu abuelo ayer?
—Sí, ayudé a mi abuelo.

EX. B ANSWERS
1. ¿Tomaste el desayuno ayer?
   Sí, tomé el desayuno.
2. ¿Miraste la televisión ayer?
   No, no miré la televisión.
3. ¿Planchaste tus camisas ayer?
   Sí, planché mis camisas.

1. tomar el desayuno (sí)

2. mirar la televisión (no)

3. planchar tus camisas (sí)

4. caminar a la tienda (sí)

5. comprar un regalo (sí)

6. descansar un poco (no)

4. ¿Caminaste a la tienda ayer?
   Sí, caminé a la tienda.
5. ¿Compraste un regalo ayer?
   Sí, compré un regalo.
6. ¿Descansaste un poco ayer?
   No, no descansé.

RE-ENTER/RECYCLE
Have students repeat Ex. B using direct object pronouns in their answers to items 1–3 and 5, as well as the example.

C. You and your brother Rafael have busy schedules. It's Saturday and your father is asking about your activities this past week.

PARTNER A: You're the father. Ask the questions.
PARTNER B: Look at the schedule and answer based on what you and Rafael did.

lunes	martes	miércoles	jueves	viernes
cantar *Yo*	estudiar *R & Yo*	comprar un regalo *R & Yo*	limpiar la casa *R & Yo*	bailar *Yo*
ayudar a abuelita *R*	caminar en el parque *Yo*	nadar *R*		montar a caballo *R*

—¿Cuándo limpiaron ustedes la casa?
—**La limpiamos el jueves.**
—¿Cantó Rafael el lunes?
—**No, no cantó.**

EX. C ANSWERS

1. Sí, compramos un regalo el miércoles.
2. Bailé el viernes.
3. No, no la ayudé el lunes.
4. Nadó el miércoles.
5. Nosotros estudiamos el martes.
6. No, Rafael no caminó en el parque.
7. Sí, canté el lunes.

1. ¿Compraron ustedes un regalo?
2. ¿Cuándo bailaste?
3. ¿Ayudaste a la abuelita el lunes?
4. ¿Cuándo nadó Rafael?
5. ¿Cuándo estudiaron ustedes?
6. ¿Caminó en el parque Rafael?
7. ¿Cantaste tú el lunes?

FOR THE NONSPECIALIST
To say on what day you did something, use the definite article **el** in front of the day:
Bailé el viernes.

EXTENSION / ASSESSMENT OPPORTUNITY
Have students continue the activity by creating additional questions.

ENTRE AMIGOS

What was your schedule like last week? Make up a five-day chart like the one in the previous activity. Then get together with a partner or small group. Tell what you did.

Use words like these:

estudiar	descansar	lavar	comprar
nadar	ayudar	limpiar	mirar
bailar	caminar	planchar	cocinar

EXTENSION
Brainstorm with the class to include additional regular **-ar** verbs to the list of words.

¿Quién es el culpable?

ENRICHMENT
You may want to introduce **tener la culpa** *(to be guilty)*. Reinforce other forms of the preterite by asking questions (e.g., **¿Quién tiene la culpa? ¿La persona que nadó?**).

¿Cómo lo dices?

FOR THE NONSPECIALIST
You change the spelling of the **yo** form of **-ar** verbs that end in **-car** and **-gar** to keep the same **c** and **g** sounds as in the other forms of the preterite. The change to **qu** and **gu** preserves the hard consonant sounds of the **c** and **g**.

Talking about other actions in the past

THE HERITAGE SPEAKER
Give heritage speakers practice with the written forms of **-car/-gar** verbs

Look at these verbs you've learned to see how to use them to talk about the past.

by having them write a short paragraph about a shopping experience they had. Make sure they use the verbs **pagar**, **llegar** and **sacar**.

Singular			
	pagar	**llegar**	**sacar**
yo	pagué	llegué	saqué
tú	pagaste	llegaste	sacaste
él / ella / usted	pagó	llegó	sacó

Plural			
nosotros, nosotras	pagamos	llegamos	sacamos
ellos / ellas / ustedes	pagaron	llegaron	sacaron

Did you notice that there is a spelling change only in the **yo** form of these three verbs? The other past tense endings are exactly the same as for any other regular **-ar** verb.

EXTENSION
You may wish to use the following sentences for dictation practice:
Ayer llegué tarde al colegio.
Estudié, jugué con mis amigos y almorcé en la cafetería.
Juan pagó mi comida.
Saqué una A en la clase de español.

248 *¡Adelante!*

Now look at the past tense of these stem-changing verbs:

	Singular		
	pensar (ie)	**almorzar** (ue)	**jugar** (ue)
yo	pens**é**	almor**cé**	jug**ué**
tú	pens**aste**	almorz**aste**	jug**aste**
él / ella / usted	pens**ó**	almorz**ó**	jug**ó**

	Plural		
nosotros, nosotras	pens**amos**	almorz**amos**	jug**amos**
ellos / ellas / ustedes	pens**aron**	almorz**aron**	jug**aron**

There is no change in the stem of **pensar** when you use it to talk about the past. In what form of **almorzar** is there a spelling change? Is the same thing true of **jugar**?

In the **yo** form, the **z** changes to **c**. Yes, in the **yo** form, there is a **u** before the final **e**.

¿Pagó la señorita?

CULTURE: PHOTOS AND REALIA

Traditionally, pharmacies in Spain and Latin America serve as a kind of walk-in clinic. You can walk up to the pharmacist and tell him or her what ails you. Pharmacists are trained to prescribe medication without the patient needing to see a doctor. Pharmacies often have a person who can also give shots.

A. You stayed home sick for a few days last week. Answer your friend's questions about what you did.

PARTNER A: Ask the questions.
PARTNER B: Answer using the information in parentheses.

> ¿A qué hora te levantaste en la mañana?
> (a los ocho y media)
> —¿A qué hora te levantaste en la mañana?
> **—Me levanté a las ocho y media.**

1. ¿A qué jugaste todas las tardes?
(a los juegos electrónicos)

2. ¿Dónde almorzaste todos los días?
(en mi dormitorio)

3. ¿A qué hora te acostaste?
(a las nueve)

4. ¿En qué pensaste?
(en estar con mis amigos)

B. You felt good yesterday, so to celebrate you went out with your friends. Use the words in parentheses to describe your day.

> Yo _____ con mis amigos ayer. (almorzar)
> **Yo almorcé con mis amigos ayer.**

1. Yo _____ la cuenta. (pagar)

2. El almuerzo _____ ocho dólares. (costar)

3. Luego, nosotros _____ al fútbol. (jugar)

4. Martín _____ fotos del grupo. (sacar)

5. Después, caminamos al cine. La película _____ a las cuatro. (comenzar)

6. Por fin, yo _____ a casa a las seis y media. (llegar)

EXTENSION
Challenge students to write follow-up questions for each item. For example: **¿Dónde almorzaste con tus amigos? ¿Quién pagó la cuenta? ¿El almuerzo costó mucho?**

250 *¡Adelante!*

Raquel

C. You and your friends were pretty active last week. Look at the pictures and say what everyone did.

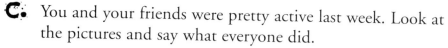

Raquel jugó al fútbol la semana pasada.

1. Miguel y Silvia

2. María

3. nosotros

4. yo

5. Pablo y Ana

6. Susana

D. Choose a partner. Take turns asking each other the questions about what you each did yesterday.

—¿A qué hora te levantaste?
—**Me levanté a las seis y media.**

1. ¿A qué hora tomaste el desayuno?

2. ¿Hablaste con tus amigos?

3. ¿Almorzaste con tus amigos?

4. ¿Dónde almorzaron?

5. ¿Jugaste con tus amigos?

6. ¿A qué jugaron?

¿Compró algo en la tienda?

ENTRE AMIGOS

 Work with a partner. Talk about your last shopping trip to one of these places:

una joyería	**una zapatería**
una tienda de música	**una tienda de ropa**

Take turns asking and answering questions like these:

—**¿A qué tienda llegaste?**
—**Llegué a la zapatería.**

—**¿Cómo llegaste?**
—**Tomé el autobús.**

—**¿Qué cosas pensaste comprar?**
—**Bueno, pensé comprar zapatos y botas.**

—**¿Y qué compraste?**
—**Yo compré unas botas.**

Be sure to write down what your partner purchased during his or her shopping trip. When you've finished, get together with two other pairs of students. Tell them what your partner bought.

¡A divertirnos!

 Play **La semana pasada** with three other classmates.

First make a spinner like this one:

Use cardboard to make the arrow and wheel. Write the words on the wheel to make it look like the one in the picture. Put a hole in the arrow in the center. Place the arrow in the center of the wheel, and put a pencil or toothpick through the hole so the arrow can spin around it.

jugar **comprar** **estudiar** **cocinar**

Then think of five things you can cook, five school subjects, five items you can buy, and five games you can play. Write the names of these things in Spanish on index cards, shuffle them, and put them face down in a pile. Now you're ready to play **La semana pasada.**

One player starts by picking a card, and uses the word on the card and one of the words on the wheel to say something about what he or she did last week: **Yo cociné huevos revueltos la semana pasada.**

This player then spins the arrow. He or she gets a point if the arrow lands on the right verb.

Keep taking turns until there are no more cards left. Count points to determine the winner. Play again if there's time.

EXTENSION
When the game is finished, discuss with students how the game went and what students found out about each other by asking questions such as ¿Qué cosas compraron ustedes la semana pasada? ¿Alguien cocinó huevos revueltos? ¿Quién? ¿Cuántas personas estudiaron inglés la semana pasada?

For additional teaching suggestions, see the Unit Plan in the front section of this Teacher's Edition.

¡A la playa!

As summer approaches, you may be thinking about going to the beach. You probably like the beach—and so do kids in Spanish-speaking countries.

They like the sun, the sand, and the waves. They like to talk about the good times they've had on their vacations.

In this unit, you're going to:

- Learn the names of beach and water sports
- Describe beach activities
- Talk about your activities from past summers
- Talk about things that are near or far away

Muchachos en la playa, Puerto Rico

CULTURE:
PHOTOS AND REALIA
Puerto Rico has about twelve major beaches. Luquillo, located 30 miles east of San Juan, is the most famous.

¡A las olas!

The teenagers getting ready to windsurf are in Málaga, a main resort city on Spain's southern coast, **la Costa del Sol**. Málaga is also the birthplace of the painter Pablo Picasso.

¿Sabes que...?

● La Costa Brava, on Spain's Mediterranean coast, is a world-famous beach resort.

● Acapulco, on the Pacific coast of Mexico, is famous for the divers who plunge almost 100 feet from cliffs into the swirling surf below.

● Kids in Spanish-speaking countries love to play soccer and volleyball on the sandy beaches their countries are famous for.

Ellos preparan la vela.

¡HABLEMOS!

¿Qué haces en la playa?

—¿Qué cosas traes a la playa?

—Bueno, traigo una sombrilla.

tomar el sol

la crema de broncear

el salvavidas

los anteojos

la sombrilla

quemado

bronceada

FOR THE NONSPECIALIST
There are many alternative words for vocabulary related to the beach. In some regions, **las gafas**, **los espejuelos**, or **los lentes** may be used instead of **los anteojos (de sol)**; **la crema bronceadora** may be used instead of **la crema de broncear**; and **el parasol** may be used instead of **la sombrilla**.

—¿Qué te gusta hacer en la playa?
—Me gusta tomar el sol.
—A mí también. Me gusta estar bronceado.

**Los muchachos juegan
al volibol en la playa.**

**¿Es bonita
esta playa de
Cozumel, México?**

 **Así es...** The Pacific coastline of Costa Rica boasts great
surfing conditions. Every year professional
and amateur surfers come from around the
world to participate in surfing competitions at Costa Rican beaches
like Playa Hermosa.

PRACTIQUEMOS

A. As you get ready to go to the beach, your little brother has lots of questions about what you're bringing.

PARTNER A: You're the little brother. Look at the picture and ask if your partner is going to bring that item to the beach.

PARTNER B: Answer "yes."

—¿Vas a traer la crema de broncear a la playa?
—¡Claro que sí!

1.

2.

EX. A ANSWERS
1. ...la sombrilla...

2. ...los anteojos...

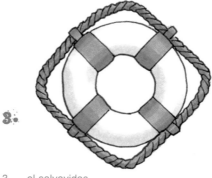

3.

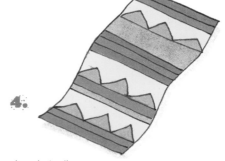

4.

3. ...el salvavidas...

4. ...la toalla...

○

B. Help Juan finish his story about a day at the beach. Finish each sentence with a word from the list.

un salvavidas	la sombrilla	anteojos
crema de broncear	tomar el sol	quemado

Mi mamá siempre lleva _____. A ella nunca le duelen los ojos.

Mi mamá siempre lleva anteojos.

1. A mi hermana Rosita le gusta descansar. Se acuesta en la playa para _____.

2. Mi papá no sabe nadar. Siempre lleva _____ en el agua.

3. Yo nunca uso _____. Siempre tengo dolor porque estoy _____.

4. Usamos _____ cuando el sol está muy fuerte.

ENTRE AMIGOS

You're at the beach and you're writing a postcard to one of your classmates. Say where you are, who's with you, what you've brought, what you're doing right now, and what you plan to do.

When you're finished, get together with your classmate. Read your postcard aloud to him or her.

¡HABLEMOS!

¿Qué te gusta hacer en el mar?

—¿Qué te gusta hacer en el mar?
—Me gusta hacer el esquí acuático.

el esquí acuático

el barco de vela

la lancha

las olas

flotar

bucear

ENRICHMENT
You may want to introduce vocabulary related to water sports: **la tabla vela** *(windsurfing)*, **la tabla hawaiana** *(surfing)*, **el buceo** *(diving)*. Display these words on the board

Un barco de vela en el Caribe

so that students may refer to them during role-playing activities.

—¡Qué linda está la arena en esta playa!
—¿Podemos nadar aquí?
—No. Se prohibe nadar.
—¿Por qué?
—Porque es peligroso.

el mar

¡Se prohibe
nadar!

¡Peligro!

la arena

las conchas

los caracoles

Así es...

After a day by the sea, tourists in the
coastal cities of Ecuador, Peru, and
Chile like to try seafood dishes such
as *ceviche,* made from raw fresh fish
served cold in a spicy sauce, and
frutas del mar (fruits of the sea).
Local restaurants often feature
beautifully polished *conchas* (conch
shells) as decorations.

UNIDAD 12   261

PRACTIQUEMOS

○ Your friends Juan and Julia are having fun at the beach. Look at each picture and complete the statement.

Juan quiere buscar _____.
Juan quiere buscar conchas.

ANSWERS

1. A Juan le encanta _____.

1. el esquí acuático

2. Juan colecciona _____.

2. caracoles

3. Julia sabe _____ muy bien.

3. bucear

4. Juan y Julia hacen una casa de _____.

4. arena

5. A Julia le gusta _____.

5. flotar

6. Julia quiere _____.

6. tomar el sol

262   *¡Adelante!*

EXTENSION
Ask students what beach activities they enjoy or do not enjoy. Use **gustar** or **encantar**.

ENTRE AMIGOS

Get together with three other classmates and make a tourist poster for a beach area you know.

Think of a headline for your poster: **¡Arena, sol, mar y olas!** OR **¡Toma una lancha o barco de vela y toca el sol!** You get the idea. Be sure to include:

- the name and location of the beach

- how to get there
- where you can stay
- the things you can do there

Present your poster to the class. When all the posters have been presented, your classmates will vote for the best ones!

Este señor flota en una laguna. Respira por un tubo esnórkel. ¿A ti te gusta flotar en el agua?

¿CÓMO LO DICES?

Talking about what happened

Look at the charts to see how to use these **-er** and **-ir** verbs to talk about things that happened in the past.

FOR THE NONSPECIALIST
Note that the **nosotros** form for **-ir** verbs is the same in both the present and the preterite.

correr

Singular		Plural	
yo	corr**í**	nosotros, nosotras	corr**imos**
tú	corr**iste**		
él		ellos	
ella	corr**ió**	ellas	corr**ieron**
usted		ustedes	

salir

Singular		Plural	
yo	sal**í**	nosotros, nosotras	sal**imos**
tú	sal**iste**		
él		ellos	
ella	sal**ió**	ellas	sal**ieron**
usted		ustedes	

LANGUAGE ACROSS THE CURRICULUM
Music To benefit auditory learners, have students make up a rap song that incorporates the verb forms in the preterite.

What endings do you add to the stems of regular **-er** and **-ir** verbs to use them to talk about the past?

Now look at the chart on the next page to see how to use a stem-changing **-er** verb to talk about the past.

volver (ue)

Singular		Plural	
yo	volv**í**	nosotros, nosotras	volv**imos**
tú	volv**iste**		
él, ella, usted	volv**ió**	ellos, ellas, ustedes	volv**ieron**

Did you notice that the stem doesn't change when you add the endings for the past tense? Two other verbs like **volver** in the past tense are **doler** and **perderse**.

○ **A.** Your teacher took your class to the beach last week, but you weren't able to go. Ask everyone what they learned when they were there.

EX. A ANSWERS
1. Aprendimos a bucear.
2. Aprendí a hacer el esquí acuático.
3. Aprendí a ir en barco de vela.
4. Mis hermanas/Ellas aprendieron a flotar en las olas.
5. Aprendí a hacer una casa de arena.

—Manuel, ¿qué aprendiste la semana pasada?
　(nadar en el mar)
—**Aprendí a nadar en el mar.**

1. Susana y Teresa, ¿qué aprendieron la semana pasada?
(bucear)

2. Sra. Núñez, ¿qué aprendió usted la semana pasada?
(hacer el esquí acuático)

3. Rogelio, ¿qué aprendiste la semana pasada?
(ir en barco de vela)

4. Silvia, ¿qué aprendieron tus hermanas la semana pasada?
(flotar en las olas)

5. Pepita, ¿qué aprendiste la semana pasada?
(hacer una casa de arena)

THE MULTI-LEVEL CLASS
Have students of mixed proficiency levels work in pairs to come up with their own responses to the questions.

B. Last weekend was a disaster! Use the verbs in parentheses to tell what happened.

Primero, (salir) de la casa a las ocho.
Primero, salí de la casa a las ocho.

1. Caminé por la calle Octavia, pero (perderse).

2. (Volver) a la casa de mi amigo, Ernesto Solís.

3. Él y yo (comer) unos sándwiches.

4. Después de comer, me (doler) el estómago.

5. Luego, me (doler) los brazos y la cabeza.

6. Mi amigo (correr) a mi casa para traer a mis papás.

7. Mis papás y yo (volver) a nuestra casa.

C. You're trying out for a job on the school newspaper. Your assignment is to interview people about what they did last weekend. Use the verbs in the list to make up five questions, then ask three classmates those questions.

comer	abrir	doler
correr	perderse	volver
recibir	aprender	salir

—**¿A qué hora salieron ustedes?**
—**Salimos a las ocho.**
—**¿Cuándo volviste a casa?**
—**Volví a las nueve y media.**

¿CÓMO LO DICES?

Pointing out what's near and far

In English, we use different words to talk about the people or things that are near us and those that are farther away—such as *this* boy or *that* boy *over there.* It's the same in Spanish.

Este chico está bronceado.

Ese chico está un poco quemado.

Aquel chico está muy quemado.

Esta chica sabe nadar bien.

Esa chica sabe flotar.

Aquella chica no sabe flotar.

EXTENSION
Have students change the sentences to the plural, using the plural forms of the demonstrative adjectives. Answer any questions students have about how the adjectives agree with the nouns that follow. Then have students work together to make up their own sentences with the singular and plural demonstrative adjectives. Check their work.

Which words help you talk about *this* boy or *this* girl?
Which words help you talk about *that* boy or *that* girl?
Which words help you talk about *that* boy *over there* or *that* girl *over there?*

Study the chart on the following page.

Singular		Plural	
Masculine	**Feminine**	**Masculine**	**Feminine**
este	esta	estos	estas
ese	esa	esos	esas
aquel	aquella	aquellos	aquellas

TPR
Use TPR commands to practice the demonstrative adjectives: **Miguel, ¡trae ese libro! Nicole, ¡pon este lápiz sobre aquella mesa!**

○ **A.** You're pointing out some interesting things at the beach. Tell your friend what to look at, using the pictures. Use **este, esta, estos,** and **estas.**

¡Mira esta lancha!

EX. A ANSWERS

1. **2.** **3.** **4.**

1. ¡Mira este barco de vela!
2. ¡...estas conchas!
3. ¡...estos anteojos!
4. ¡...esta sombrilla!

○ **B.** Now you want your friend to look at some things that are very far away. Point them out, using **aquel, aquella, aquellos,** and **aquellas.**

EX. B ANSWERS
1. ¡...aquel...!
2. ¡...aquellas...!
3. ¡...aquellos...!
4. ¡...aquella...!

_____ lancha
¡Mira aquella lancha!

1. _____ barco de vela   **3.** _____ anteojos

2. _____ conchas   **4.** _____ sombrilla

C. You and a friend are shopping for birthday presents. Talk about the different items you see.

PARTNER A:	Ask if your partner likes the item that is farthest away.
PARTNER B:	Answer that you prefer the item that is closer.
PARTNER A:	Tell your partner that you're going to buy the closest item.

—¿Te gusta _____ collar rojo?
—No. Prefiero_____ collar amarillo.
—Voy a comprar _____ collar azul.

—¿Te gusta aquel collar rojo?
—No. Prefiero ese collar amarillo.
—Voy a comprar este collar azul.

1.

—¿Te gusta _____ sandalias verdes?
—No. Prefiero_____ sandalias marrones.
—Voy a comprar _____ sandalias blancas.

EX. C ANSWERS   1. aquellas, esas, estas

2.

—¿Te gusta _____ brazalete rosado?
—No. Prefiero _____ brazalete azul.
—Voy a comprar _____ brazalete rojo.

2. aquel, ese, este

3.

—¿Te gusta _____ disco compacto?
—No. Prefiero_____ casetes.
—Voy a comprar _____ disco.

3. aquel, esos, este

ASSESSMENT OPPORTUNITY You may wish to assign Ex. C as written homework. Collect the papers to assess students' progress.

UNIDAD 12   269

ENTRE AMIGOS

Get in groups of three students. Each of you will draw pictures of three things you want to buy. Place the pictures in different positions in the room, some of them close to you and others farther away. Then pretend you are shopping. Talk about the things you want to buy.

—¿Te gusta aquella camisa roja?
—Sí. Pero me gusta más esa camisa azul.

Then vote with your group on the items that are "best buys"—the three items that are most worth having. Compare your three items with the items other groups chose. Use the past form of **escoger** *(to choose):*

FOR THE NONSPECIALIST
The past tense of **escoger** is escogí, escogiste, escogió, escogimos, escogieron.

Nosotros escogimos una camisa azul.

CULTURE: PHOTOS
AND REALIA
This record store in

**Los muchachos
compran discos
compactos.**

Austin, Texas, offers
teens a large selection
of Latin American music
and U.S. tunes. Texas
is the birthplace of
tejano music, made
popular by the late
singer, Selena.

COOPERATIVE
LEARNING
Have small groups
put on a skit that
takes place in a
record store. Assign
specific roles to
each group member,
such as prop maker, writer, and director. Have
groups present and evaluate each
other's skits.

¿Cómo lo dices?

Talking about what things are for

Look at these sentences. Notice the three different uses of the word **para.**

Hoy es jueves. Tengo que lavar el coche **para** el sábado. El sábado llega mi abuelita.

Compré el regalo ayer. Es un traje de baño **para** mi papá.

Uso la crema de broncear **para** tomar el sol. No quiero quemarme.

EXTENSION
Provide additional sentence examples, such as **Tienen que hacer la tarea para mañana. Mi hijo compró este bolígrafo para mí. Uso el bolígrafo para escribir.**

RE-ENTER/RECYCLE
Review the structure **tener que** + infinitive with the class. Help the students come up with sentences to practice all persons of the verb. For example, **Yo tengo que comprar un regalo. Tú tienes que aprender a nadar.**

In the first example, **para** is used to indicate when something is supposed to be done. In which example is **para** used to show what something is used for? In which example is **para** used to indicate who will receive something?

A. Carolina has a lot of deadlines this week. By what days does she have to finish things? Use the sets of words to answer the question, **¿Qué tienes que hacer?**

aprender la lección / el martes
Tengo que aprender la lección para el martes.

1. planchar el vestido / mañana   **4.** pintar un cartel / el lunes

2. lavar el coche / el viernes   **5.** aprender el baile / el jueves

3. leer el libro / el miércoles   **6.** comprar un regalo / el sábado

B. Your younger brother Paquito is asking you a lot of questions. How do you answer him?

PARTNER A: You're Paquito. Ask what the different items are used for.

PARTNER B: Answer Paquito's questions.

la crema de broncear
—¿Para qué usas la crema de broncear?
—La uso para tomar el sol.

1. la plancha   **3.** el bolígrafo   **5.** el televisor

2. las llaves   **4.** el horno   **6.** las sandalias

X. C ANSWERS

¿Para quién son los discos?

Los discos son para Manuel.

¿Para quién es el collar?

El collar es para Dorotea.

¿Para quién es la camiseta?

La camiseta es para Ignacio.

¿Para quién son los carteles?

Los carteles son para Verónica.

¿Para quién son los anteojos?

Los anteojos son para Eduardo.

¿Para quién es el llavero?

El llavero es para ti.

C. You bought some end-of-the-year presents for your best friends. Your partner is looking at them, wondering who they're for..

PARTNER A: Ask who the presents are for.
PARTNER B: Use the names in parentheses to say who the gifts are for.

la sombrilla (Adela)
—**¿Para quién es la sombrilla?**
—**La sombrilla es para Adela.**

1. los discos (Manuel)

2. el collar (Dorotea)

3. la camiseta (Ignacio)

4. los carteles (Verónica)

5. los anteojos (Eduardo)

6. el llavero (ti)

EXTENSION
Have students describe a recent birthday party, including the gifts given. Remind them to use **para**.

CULTURE: PHOTOS AND REALIA
Venezuela has a thriving TV production industry. Many of its variety shows and telenovelas (soap operas) are exported. Venezuelan-made television shows can be seen on any Spanish-language TV channel in the U.S.

Prefiero regalarle este televisor.

ENTRE AMIGOS

Read the following article about the treasure of the ship, the *Atocha* with a partner. Together write five different questions you can ask about the article. Then get together with another pair of students and take turns asking and answering each other's questions.

El tesoro del *Atocha*

¿Te gusta leer las revistas? Este reportaje en la revista *Bucear* es de una historia interesantísima, el descubrimiento del tesoro del *Nuestra Señora de Atocha*.

Cuando los españoles llegaron a América, encontraron oro y plata en los pueblos de la América Central y la América del Sur. También encontraron perlas y piedras preciosas. Volvieron a España con los barcos llenos de estos tesoros.

Algunos barcos nunca llegaron a España. Se perdieron en el mar en medio de huracanes y el mal tiempo. El *Nuestra Señora de Atocha* es uno de los barcos que desaparecieron. Lleno de monedas de oro y plata y de joyas, se perdió durante un huracán cerca de la Florida en 1622.

Durante más de tres siglos, el *Atocha* quedó en el fondo del mar hasta que Mel Fisher y un grupo de buceadores empezaron a buscarlo. En 1973, encontraron el *Atocha*. En 1985, cuando por fin quitaron la arena del antiguo barco, encontraron un tesoro de millones de dólares.

El tesoro también reveló datos muy importantes para la historia. De los barcos antiguos, aprendemos algo sobre la historia de las Américas. A lo mejor, esta información es el verdadero tesoro del *Atocha*.

Florida

el Atocha

LANGUAGE ACROSS THE CURRICULUM
Social Studies Have students go to the school or community library and research the early history of the state of Florida and of early Spanish explorers such as Ponce de León.

¡A divertirnos!

Help make a photo essay book for your class. Bring in a photo of something you've learned to do during the last year. It can be something you learned at home, at school, or with friends. If you don't have photographs, draw a picture.

Mount the picture on a piece of stiff paper. Under the picture, write a short paragraph in Spanish describing what you learned to do, and any information you can add about the experience.

Then help bind your page together with the pages of your classmates to make a class book! You've learned a lot, haven't you?

We hope you'll continue to learn even more Spanish! And so, *amigos,*

EXTENSION / ASSESSMENT OPPORTUNITY
Students may want to make another photo-essay book illustrating what they plan to do for the summer. They should include both pictures and captions. You may wish to include students' photo-essay books in their portfolios.

FOR THE NONSPECIALIST
For the reading in the *Entre amigos,* remind students that they do not have to understand every word in order to understand the main idea and important points. Ask volunteers to summarize the reading in English.

ENRICHMENT
Have students reflect on what they liked most and least about this course. Then have them write down sentences with **gustar**. When they finish, have them compare their sentences with those of their classmates.

¡HASTA LA VISTA!

APPENDIX

PRONOUNS

Subject

Singular	Plural
yo	nosotros, nosotras
tú	vosotros, vosotras
él	ellos
ella	ellas
usted	ustedes

Indirect Object

Singular	Plural
me	nos
te	os
le	les

Direct Object

Singular	Plural
me	nos
te	os
lo	los
la	las

Reflexive

Singular	Plural
me	nos
te	os
se	se

ADJECTIVES

Demonstrative

Singular / Plural	
Masculine	**Feminine**
este / estos	esta / estas
ese / esos	esa / esas
aquel / aquellos	aquella / aquellas

Possessive

Singular / Plural	
Masculine	**Feminine**
mi / mis	mi / mis
tu / tus	tu / tus
su / sus	su / sus
nuestro / nuestros	nuestra / nuestras
vuestro / vuestros	vuestra / vuestras
su / sus	su / sus

Regular Verbs

-**ar** Verbs: Model **hablar**

	Present	Preterite
yo	hablo	hablé
tú	hablas	hablaste
él, ella, usted	habla	habló
nosotros, nosotras	hablamos	hablamos
vosotros, vosotras	habláis	hablasteis
ellos, ellas, ustedes	hablan	hablaron
Gerund: hablando	Familiar command: ¡habla! ¡no hables!	

-**er** Verbs: Model **comer**

	Present	Preterite
yo	como	comí
tú	comes	comiste
él, ella, usted	come	comió
nosotros, nosotras	comemos	comimos
vosotros, vosotras	coméis	comisteis
ellos, ellas, ustedes	comen	comieron
Gerund: comiendo	Familiar command: ¡come! ¡no comas!	

-**ir** Verbs: Model **abrir**

	Present	Preterite
yo	abro	abrí
tú	abres	abriste
él, ella, usted	abre	abrió
nosotros, nosotras	abrimos	abrimos
vosotros, vosotras	abrís	abristeis
ellos, ellas, ustedes	abren	abrieron
Gerund: abriendo	Familiar command: ¡abre! ¡no abras!	

Stem-Changing Verbs

o to ue: Model **probar**

	Present	Preterite
yo	pruebo	probé
tú	pruebas	probaste
él, ella, usted	prueba	probó
nosotros, nosotras	probamos	probamos
vosotros, vosotras	probáis	probasteis
ellos, ellas, ustedes	prueban	probaron

Gerund: probando
Familiar command: ¡prueba! ¡no pruebes!

u to ue: Model **jugar**

	Present	Preteri
yo	juego	jugué
tú	juegas	jugaste
él, ella, usted	juega	jugó
nosotros, nosotras	jugamos	jugamos
vosotros, vosotras	jugáis	jugasteis
ellos, ellas, ustedes	juegan	jugaron

Gerund: jugando
Familiar command: ¡juega! ¡no juegues!

e to ie: Model **pensar**

	Present	Preterite
yo	pienso	pensé
tú	piensas	pensaste
él, ella, usted	piensa	pensó
nosotros, nosotras	pensamos	pensamos
vosotros, vosotras	pensáis	pensasteis
ellos, ellas, ustedes	piensan	pensaron

Gerund: pensando
Familiar command: ¡piensa! ¡no pienses!

e to i: Model **servir**

	Present	Preteri
yo	sirvo	serví
tú	sirves	serviste
él, ella, usted	sirve	sirvió
nosotros, nosotras	servimos	servimos
vosotros, vosotras	servís	servisteis
ellos, ellas, ustedes	sirven	sirvieron

Gerund: sirviendo
Familiar command: ¡sirve! ¡no sirvas!

Irregular Verbs

Dar

	Present	Preterite
yo	doy	di
tú	das	diste
él, ella, usted	da	dio
nosotros, nosotras	damos	dimos
vosotros, vosotras	dais	disteis
ellos, ellas, ustedes	dan	dieron

Gerund: dando
Familiar command: ¡da! ¡no des!

Decir

	Present	Preteri
yo	digo	dije
tú	dices	dijiste
él, ella, usted	dice	dijo
nosotros, nosotras	decimos	dijimos
vosotros, vosotras	decís	dijisteis
ellos, ellas, ustedes	dicen	dijeron

Gerund: diciendo
Familiar command: ¡di! ¡no digas!

regular Verbs continued

Estar

	Present	Preterite
o	estoy	estuve
ú	estás	estuviste
, ella, usted	está	estuvo
osotros, nosotras	estamos	estuvimos
osotros, vosotras	estáis	estuvisteis
los, ellas, ustedes	están	estuvieron

erund: estando
miliar command: ¡está! ¡no estés!

Hacer

	Present	Preterite
o	hago	hice
	haces	hiciste
ella, usted	haces	hizo
osotros, nosotras	hacemos	hicimos
sotros, vosotras	hacéis	hicisteis
os, ellas, ustedes	hacen	hicieron

rund: haciendo
miliar command: ¡haz! ¡no hagas!

Ir

	Present	Preterite
	voy	fui
	vas	fuiste
ella, usted	va	fue
sotros, nosotras	vamos	fuimos
sotros, vosotras	vais	fuisteis
os, ellas, ustedes	van	fueron

rund: yendo
miliar command: ¡ve! ¡no vayas!

Poder

	Present	Preterite
yo	puedo	pude
tú	puedes	pudiste
él, ella, usted	puede	pudo
nosotros, nosotras	podemos	pudimos
vosotros, vosotras	podéis	pudisteis
ellos, ellas, ustedes	pueden	pudieron

Gerund: pudiendo
Familiar command: ¡puede! ¡no puedas!

Poner

	Present	Preterite
yo	pongo	puse
tú	pones	pusiste
él, ella, usted	pone	puso
nosotros, nosotras	ponemos	pusimos
vosotros, vosotras	ponéis	pusisteis
ellos, ellas, ustedes	ponen	pusieron

Gerund: poniendo
Familiar command: ¡pon! ¡no pongas!

Querer

	Present	Preterite
yo	quiero	quise
tú	quieres	quisiste
él, ella, usted	quiere	quiso
nosotros, nosotras	queremos	quisimos
vosotros, vosotras	queréis	quisisteis
ellos, ellas, ustedes	quieren	quisieron

Gerund: queriendo
Familiar command: ¡quiere! ¡no quieras!

Irregular Verbs continued

Saber

	Present	Preterite
yo	sé	supe
tú	sabes	supiste
él, ella, usted	sabe	supo
nosotros, nosotras	sabemos	supimos
vosotros, vosotras	sabéis	supisteis
ellos, ellas, ustedes	saben	supieron

Gerund: sabiendo
Familiar command: ¡sabe! ¡no sepas!

Tener

	Present	Preterite
yo	tengo	tuve
tú	tienes	tuviste
él, ella, usted	tiene	tuvo
nosotros, nosotras	tenemos	tuvimos
vosotros, vosotras	tenéis	tuvisteis
ellos, ellas, ustedes	tienen	tuvieron

Gerund: teniendo
Familiar command: ¡ten! ¡no tengas!

Ser

	Present	Preterite
yo	soy	fui
tú	eres	fuiste
él, ella, usted	es	fue
nosotros, nosotras	somos	fuimos
vosotros, vosotras	sois	fuisteis
ellos, ellas, ustedes	son	fueron

Gerund: siendo
Familiar command: ¡se! ¡no seas!

Traer

	Present	Preterite
yo	traigo	traje
tú	traes	trajiste
él, ella, usted	trae	trajo
nosotros, nosotras	traemos	trajimos
vosotros, vosotras	traéis	trajisteis
ellos, ellas, ustedes	traen	trajeron

Gerund: trayendo
Familiar command: ¡trae! ¡no traigas!

Venir

	Present	Preterite
yo	vengo	vine
tú	vienes	viniste
él, ella, usted	viene	vino
nosotros, nosotras	venimos	vinimos
vosotros, vosotras	venís	vinisteis
ellos, ellas, ustedes	vienen	vinieron

Gerund: viniendo
Familiar command: ¡ven! ¡no vengas!

Reflexive Verbs

Model lavarse

	Present	Preterite
yo	me lavo	me lavé
tú	te lavas	te lavaste
él, ella, usted	se lava	se lavó
nosotros, nosotras	nos lavamos	nos lavar
vosotros, vosotras	os laváis	os lavaste
ellos, ellas, ustedes	se lavan	se lavaron

Gerund: lavándome, lavándote, lavándose; lavándon
lavándoos, lavándose
Familiar command: ¡lávate! ¡no te laves!

COUNTRIES AND NATIONALITIES

El país		La gente
la	**Argentina**	el argentino, la argentina
	Belice	el beliceño, la beliceña
	Bolivia	el boliviano, la boliviana
el	**Canadá**	el canadiense, la canadiense
	Colombia	el colombiano, la colombiana
	Costa Rica	el costarricense, la costarricense
	Cuba	el cubano, la cubana
	Chile	el chileno, la chilena
el	**Ecuador**	el ecuatoriano, la ecuatoriana
	El Salvador	el salvadoreño, la salvadoreña
	España	el español, la española
los	**Estados Unidos**	el estadounidense, la estadounidense
	Guatemala	el guatemalteco, la guatemalteca
	Honduras	el hondureño, la hondureña
	México	el mexicano, la mexicana
	Nicaragua	el nicaragüense, la nicaragüense
	Panamá	el panameño, la panameña
el	**Paraguay**	el paraguayo, la paraguaya
el	**Perú**	el peruano, la peruana
la	**República Dominicana**	el dominicano, la dominicana
el	**Uruguay**	el uruguayo, la uruguaya
	Venezuela	el venezolano, la venezolana

Otros lugares		La gente
el	**África**	el africano, la africana
el	**Brasil**	el brasileño, la brasileña
	Francia	el francés, la francesa
	Haití	el haitiano, la haitiana
	Portugal	el portugués, la portuguesa
	Puerto Rico	el puertorriqueño, la puertorriqueña

LOS NÚMEROS

0 cero		**34** treinta y cuatro		**68** sesenta y ocho			
1 uno		**35** treinta y cinco		**69** sesenta y nueve			
2 dos		**36** treinta y seis		**70** setenta			
3 tres		**37** treinta y siete		**71** setenta y uno			
4 cuatro		**38** treinta y ocho		**72** setenta y dos			
5 cinco		**39** treinta y nueve		**73** setenta y tres			
6 seis		**40** cuarenta		**74** setenta y cuatro			
7 siete		**41** cuarenta y uno		**75** setenta y cinco			
8 ocho		**42** cuarenta y dos		**76** setenta y seis			
9 nueve		**43** cuarenta y tres		**77** setenta y siete			
10 diez		**44** cuarenta y cuatro		**78** setenta y ocho			
11 once		**45** cuarenta y cinco		**79** setenta y nueve			
12 doce		**46** cuarenta y seis		**80** ochenta			
13 trece		**47** cuarenta y siete		**81** ochenta y uno			
14 catorce		**48** cuarenta y ocho		**82** ochenta y dos			
15 quince		**49** cuarenta y nueve		**83** ochenta y tres			
16 dieciséis		**50** cincuenta		**84** ochenta y cuatro			
17 diecisiete		**51** cincuenta y uno		**85** ochenta y cinco			
18 dieciocho		**52** cincuenta y dos		**86** ochenta y seis			
19 diecinueve		**53** cincuenta y tres		**87** ochenta y siete			
20 veinte		**54** cincuenta y cuatro		**88** ochenta y ocho			
21 veintiuno		**55** cincuenta y cinco		**89** ochenta y nueve			
22 veintidós		**56** cincuenta y seis		**90** noventa			
23 veintitrés		**57** cincuenta y siete		**91** noventa y uno			
24 veinticuatro		**58** cincuenta y ocho		**92** noventa y dos			
25 veinticinco		**59** cincuenta y nueve		**93** noventa y tres			
26 veintiséis		**60** sesenta		**94** noventa y cuatro			
27 veintisiete		**61** sesenta y uno		**95** noventa y cinco			
28 veintiocho		**62** sesenta y dos		**96** noventa y seis			
29 veintinueve		**63** sesenta y tres		**97** noventa y siete			
30 treinta		**64** sesenta y cuatro		**98** noventa y ocho			
31 treinta y uno		**65** sesenta y cinco		**99** noventa y nueve			
32 treinta y dos		**66** sesenta y seis		**100** cien			
33 treinta y tres		**67** sesenta y siete					

Hay doscientos alumnos en las escuela.
Hay trescientas sillas en el auditorio.
Hay cuatrocientas cincuenta uvas en la caja.
Hay novecientos veinticinco bolígrafos.
Hay mil quinientas cerezas en la mesa.

WORD LIST

SPANISH-ENGLISH

e Spanish-English Word List contains the Spanish words you've already learned in ¡**ola!** and **¿Qué tal?** and the words you learn in each unit of **¡Adelante!** A number parentheses (or R for Repaso) indicates the unit where a word was taught. (Q) indi-es a word from **¿Qué tal?** (H) indicates that a word comes from **¡Hola!**

re's a sample entry—a word and its English equivalent:

la **computadora**   computer (H)

e **bold** letters in different type tell you that **computadora** is the entry. "La" tells you use "la" (not "el") with **computadora**. (H) tells you that **computadora** was taught in e of the units of **¡Hola!**

re's another entry:

la **agencia de viajes**   travel agency (5)

tells you that **agencia de viajes** is taught in **Unidad 5.**

re are the complete Word List abbreviations:

Abbreviations

adj.	adjective	*inf.*	infinitive
adv.	adverb	*m.*	masculine
com.	command	*pl.*	plural
f.	feminine	*s.*	singular

A

a   to, at (H)
   ¡A divertirnos!   Let's have fun! (H)
   a la derecha   to the right (3)
   a la izquierda   to the left (3)
   a veces   sometimes (H)
abierto, abierta   open (8)
el abrelatas (pl.: abrelatas)   can opener (Q)
el abrigo   coat (Q)
abril   April (H)
abrir   to open (Q)
abrochar   to buckle, to fasten (3)
la abuela   grandmother (H)
el abuelo   grandfather (H)
los abuelos   grandparents (H)
aburrido, aburrida   boring (H)
acabar   to finish, just finish (Q)
   acabar de (+ inf.)   to have just (Q)
acostarse   to go to bed, to lie down (Q)
adelante   ahead (10)
adiós   good-bye (H)
adivinar   to guess (Q)
adónde   (to) where? (H)
la aeromoza   (female) flight attendant (6)
el aeromozo   (male) flight attendant (6)
el aeropuerto   airport (4)
afuera (adv.)   outside (Q)
la agencia de viajes   travel agency (5)
la agente de viajes   (female) travel agent (5)
el agente de viajes   (male) travel agent (5)
agosto   August (H)
el agua (f. s.)   water (7)
ahora   now (H)
ahorrar   to save (8)
el ajedrez   chess (1)
al (a+el)   to the (H)
las albóndigas   meatballs (Q)
la alcaldía   city hall (9)
la alfombra   rug, carpet (Q)
algo   something (Q)
alguien   someone, somebody (Q)
el almacén   department store (2)

la almohada   pillow (Q)
almorzar   to eat lunch (Q)
el almuerzo   lunch (Q)
alto, alta   tall (Q)
la alumna   (female) student (H)
el alumno   (male) student (H)
amarillo, amarilla   yellow (H)
la amiga   (female) friend (H)
el amigo   (male) friend (H)
anaranjado, anaranjada   orange (color) (H)
el animal (pl.: animales)   animal (H)
el aniversario   anniversary (H)
los anteojos   eyeglasses (12)
antes   before (Q)
antiguo, antigua   old-fashioned, antique (7)
el año   year (H)
   el año pasado   last year (11)
apagar   to extinguish (2)
el apartamento   apartment (Q)
aprender   to learn (H)
aquel, aquella (adj.)   that (over there)
aquellos, aquellas (adj.)   those (over there) (12)
la arena   sand (12)
el arroz   rice (Q)
el arte (m.) art (H)
así   so (H)
el ascensor   elevator (7)
el asiento   seat (6)
la aspiradora   vacuum cleaner (Q)
   pasar la aspiradora   to vacuum (
aterrizar   to land (6)
atlético, atlética   athletic (Q)
atrás   behind (10)
el auditorio   auditorium (Q)
el autobús   bus (3)
el automóvil (m. s.) car (3)
la avena   oatmeal (Q)
la avenida   avenue (3)
el avión (pl.: aviones)   airplane (4)
ayer   yesterday (11)

ayudar   to help (2)
azúcar   sugar (Q)
azul   blue (H)

baloncesto   basketball (1)
bailar   to dance (H)
bajar   to descend, to go down (Q)
   bajar las escaleras
         to go downstairs (Q)
bajo, baja   short, small (Q)
balcón   balcony (Q)
banco   bank (8)
bandera   flag (H)
bañera   bathtub (7)
bañarse (*reflexive*)   to take a bath (Q)
   el traje de baño
         bathing suit, swimsuit (Q)
barco   boat, ship (4)
   barco de vela   sailboat (12)
barrer   to sweep (Q)
básico, básica   basic (Q)
basura   trash (Q)
bata   robe (Q)
batidora eléctrica   electric mixer (Q)
batir   to beat, to whip (Q)
beber   to drink (Q)
béisbol   baseball (1)
biblioteca   library (H)
bibliotecaria   (female) librarian (Q)
bibliotecario   (male) librarian (Q)
bicicleta   bicycle (1)
bien   well (H)
   Me queda bien.   It fits me well. (Q)
   muy bien   very well (H)
¡Bienvenidos!   Welcome! (H)
billete   ticket (5); bill (8)
bisabuela   great-grandmother (H)
bisabuelo   great-grandfather (H)
bisabuelos   great-grandparents (H)
blanco, blanca   white (H)

blando, blanda   soft (7)
la **blusa**   blouse (Q)
la **boca**   mouth (Q)
el **bol**   bowl (Q)
el **bolígrafo**   ballpoint pen (H)
la **bolsa**   handbag, bag (11)
la **bombera**   (female) firefighter (2)
el **bombero**   (male) firefighter (2)
la **bombilla**   light bulb (Q)
bonito, bonita   pretty (Q)
el **borrador** (*m.*)   eraser (H)
las **botas**   boots (Q)
el **brazalete**   bracelet (11)
el **brazo**   arm (Q)
bronceado, bronceada   suntanned (12)
buen   good (*before a s. m. noun*) (H)
bueno, buena   good (H)
bucear   to dive (12)
buscar   to look for (R)
el **buzón** (*pl.:* ***buzones***)   mailbox (Q)

C

el **caballo**   horse (1)
la **cabeza**   head (Q)
el **café**   coffee (Q)
la **caja**   box (Q)
la **cajera**   (female) bank teller (8)
el **cajero**   (male) bank teller (8)
el **cajón** (*m.; pl.:* ***cajones***)   drawer (Q)
los **calcetines** (*m.*)   socks, knee socks (Q)
el **calendario**   calendar (H)
caliente   hot (7)
la **calle**   street (R)
el **calor**   heat (H)
la **cama**   bed (Q)
la **camarera**   waitress (8)
el **camarero**   waiter (8)
cambiar   to change (Q)
caminar   to walk (H)
la **camisa**   shirt (Q)
la **camiseta**   T-shirt, polo shirt, undershirt (Q)
el **canario**   canary (H)

cansado, cansada   tired (9)

cantar   to sing (H)

la **cara**   face (Q)

el **caracol**   snail shell (12)

la **carne**   meat (Q)

el **carro**   car (5)

la **carta**   letter (Q)

el **cartel**   poster (Q)

la **casa**   house, home (H)

el **casete**   cassette (11)

castaño, castaña   brown, chestnut (Q)

la **ceja**   eyebrow (Q)

celebrar   to celebrate (H)

la **cena**   dinner (Q)

cenar   to have dinner (Q)

el **centro**   downtown (3)

cepillarse (*reflexive*) to brush oneself (Q)

   cepillarse los dientes (*reflexive*)
      to brush one's teeth (Q)

la **cerca**   fence (Q)

cerca de   near, close to (Q)

el **cereal**   cereal (Q)

las **cerezas**   cherries (Q)

cerrar   to close, to shut (Q)

   cerrado, cerrada   closed (8)

la **cesta**   basket (H)

la **chaqueta**   jacket (Q)

la **chimenea**   chimney (Q)

el **chocolate**   chocolate (Q)

   el chocolate caliente
      hot chocolate (Q)

el **chofer**   (male) driver (3)

la **chofera**   (female) driver (3)

las **ciencias**   science (H)

   ciencias sociales   social sciences (H)

el **cine**   movie theater, movies (H)

la **cintura**   waist (Q)

el **cinturón** (*pl.:* ***cinturones***)   belt (11);
      seatbelt (3)

el **círculo**   circle (H)

la **ciudad**   city (3)

claro   clearly, of course (H)

la **clase**   class (H)

el **coche**   car (H)

la **cocina**   kitchen (Q)

cocinar   to cook (Q)

la **cocinera**   (female) cook (Q)

el **cocinero**   (male) cook (Q)

el **codo**   elbow (Q)

coleccionar estampillas   to collect
      postage stamps (1)

el **colegio**   high school (9)

colgar   to hang up (Q)

el **collar**   necklace (11)

el **color** (*pl.:* ***colores***)   color (H)

el **comedor**   dining room; (school) cafeteria
      (Q)

comenzar   to begin, to start (Q)

comer   to eat (Q)

cómico, cómica   funny, amusing (Q)

la **comida**   food (Q)

¿cómo...?   how...? (H)

   ¿Cómo te queda?   How does it fit? (6)

cómodo, cómoda   comfortable (6)

la **compañía**   company (2)

comprar   to buy (Q)

comprender   to understand (H)

la **computadora**   computer (H)

la **comunidad**   community (2)

con   with (Q)

la **concha**   seashell (12)

el **conejo**   rabbit (H)

confundido, confundida   confused (6)

conocer   to know, to meet (2)

la **conserje**   (female) janitor (Q)

el **conserje**   (male) janitor (Q)

contento, contenta   happy (9)

contestar   to answer (R)

correr   to run (Q)

las **cortinas**   curtains (Q)

corto, corta   short (H)

costar   to cost (5)

la **crema**   cream (Q)

   crema de broncear
      sunscreen lotion (12)

cruzar   to cross (10)

cuaderno notebook (H)
cuadra city block (10)
cuadrado square (H)
cuadro painting (Q)
¿cuál? (*pl.:* ***cuáles***) what?, which one? (H)
¿cuándo? when? (H)
¿cuánto? (*m. s.*), **¿cuánta?** (*f. s.*)
  how much? (H)
¿cuántos? (*m. pl.*), **¿cuántas?** (*f. pl.*)
  how many? (H)
cuarto quarter (H); room (Q)
cuarto de baño bathroom (Q)
cuchara spoon (Q)
cucharita teaspoon (Q)
cuchillo knife (Q)
cuello neck (Q)
cuenta restaurant check, bill (8)
cuerpo body (Q)
cultivar plantas to take care of plants (1)
cumpleaños birthday (H)

damas checkers (1)
dar to give (8)
  dar la mano to shake hands (8)
de of, in, from, to, at (H)
  de viaje taking a trip (5)
debajo de under, underneath (Q)
débil weak (Q)
decir to say, to tell (6)
dedo finger (Q)
delante de in front of (Q)
delgado, delgada thin (Q)
dentro de inside, in (Q)
departamento department (2)
deportes sports (H)
derecha right (3)
derecho straight (3)
desayunar to have breakfast (Q)
desayuno breakfast (Q)
descansar to rest (5)
desierto desert (5)

el **despacho** studio, office (Q)
despacio slow (10)
despegar to take off (airplane) (6)
despertarse (*reflexive*) to wake up (Q)
detrás de behind (Q)
el **día** (*m.*) day (H)
diciembre December (H)
el **diente** (*m.*) tooth (Q)
difícil (*pl.:* ***difíciles***) difficult (H)
el **dinero** money (8)
el **director** (male) principal (Q)
la **directora** (female) principal (Q)
el **disco** record (11)
el **el disco compacto** compact disc (11)
la **distancia** distance (4)
divertido, divertida amusing, fun (H)
  ¡A divertirnos! Let's have fun! (H)
doblar to turn (3)
el **dólar** dollar (8)
doler to hurt, to ache (Q)
  Le duele el brazo.
    His/Her arm hurts. (Q)
  Le duelen los brazos.
    His/Her arms hurt. (Q)
  Me duele el brazo.
    My arm hurts. (Q)
el **dolor** pain (H)
el **domingo** Sunday (H)
el **dominó** dominoes (game) (1)
¿dónde? where? (H)
dormir to sleep (R)
el **dormitorio** bedroom (Q)
la **ducha** shower (7)
la **dueña** (female) owner (2)
el **dueño** (male) owner (2)
duro, dura hard (7)

E

el **edificio** building (3)
  edificio de apartamentos
    apartment building (9)
la **educación física** physical education (H)

el **ejemplo** example (R)
el (*m. s.*) the (H)
él he (H)
eléctrico, eléctrica electric, electrical (Q)
ella she (H)
ellas they (Q)
ellos they (Q)
la **empleada** (female) employee (2)
el **empleado** (male) employee (2)
en in, on (H)
en avión by plane (6)
en punto on the dot, sharp (time) (H)
encantar to like a lot (12)
encontrarse to be found; to meet (10)
el **enchufe** (*m.*) plug (Q)
enero January (H)
la **enfermera** (female) nurse ((Q)
la **enfermería** infirmary (Q)
el **enfermero** (male) nurse (Q)
enojado, enojada angry, upset (9)
el **equipaje** baggage (6)
el **equipo** team (1)
la **ensalada** salad (Q)
la **entrada** entrance (Q)
entre among, between (H)
el **equipo de sonido**
sound system, stereo (Q)
las **escaleras** stairs (Q)
la **escoba** broom (Q)
escribir to write (H)
el **escritorio** teacher's desk (H)
la **escuela** school (H)
la **escultura** sculpture (9)
ese, esa (*adj.*) that (12)
esos, esas (*adj.*) those (12)
los **espaguetis** spaghetti, noodles (Q)
la **espalda** back (Q)
el **español** Spanish (H)
espectacular spectacular (H)
el **espejo** mirror (Q)
esperar to wait, to expect, to hope (Q)
el **esquí acuático** water skiing (12)
la **esquina** corner (10)

la **estación** season (Q)
la **estación de bomberos** fire station (2
la **estación de ferrocarriles** train
station (4)
el **estacionamiento** parking lot (3)
el **estadio** stadium (9)
el **estante** bookcase (Q)
estar to be (H)
¿Cómo estás tú? How are you? (H)
el **este** east (10)
este, esta (*adj.*) this (12)
esto this (H)
estos, estas (*adj.*) these (12)
la **estrella** star (Q)
estudiar to study (H)
la **estufa** stove (Q)
examinar to examine (2)
exótico, exótica exotic, rare (Q)

F

la **fábrica** factory (2)
fabuloso, fabulosa fabulous (H)
fácil (*pl.: fáciles*) easy (H)
la **falda** skirt (Q)
la **familia** family (H)
fantástico, fantástica fantastic (H)
la **farmacia** pharmacy, drugstore (3)
el **farol** street lamp (10)
el **favor** (*m.*) favor (Q)
por favor please (Q)
favorito, favorita favorite (H)
febrero February (H)
la **fecha** date (H)
feliz (*pl.: felices*) happy (H)
feo, fea ugly (Q)
la **fiesta** celebration, party (H)
el **fin** (*pl.: fines*) end (H)
fin de semana weekend (Q)
el **flamenco** flamingo (H)
flotar to float (12)
la **foto** photo (1)
el **fregadero** sink (Q)

frente   forehead (Q)
fresa   strawberry (Q)
fresco, fresca   cool (H)
frijoles   beans (Q)
frío, fría   cold (H)
frito, frita   fried (Q)
frutas   fruit (Q)
fuente   fountain (9)
   fuente de agua   drinking fountain, water fountain (Q)
fuera de   out, outside (Q)
fuerte   strong (Q)
fútbol   soccer (1)
   fútbol americano   football (U.S.) (1)

gabinete   cabinet (Q)
garaje   garage (Q)
gasolinera   gas station (3)
gastar   to spend (8)
gato   cat (H)
gelatina   gelatin dessert (Q)
generoso, generosa   generous (Q)
gente   people (2)
geografía   geography (H)
gimnasio   gymnasium (H)
globo   globe (H)
gorra   cap (Q)
Gracias.   Thanks. (H)
granadilla   passion fruit (Q)
grande   big, large (H)
grifo   faucet (Q)
gripe   flu (H)
gris   gray (H)
grueso, gruesa   fat, stout (Q)
guayaba   guava (Q)
guisantes   peas (Q)
gustar   to like, to please (H)

habitación   room (7)

hablar   to speak (H)
   ¡Hablemos! (*com. inf.:* **hablar**) Let's talk! (H)
el **habla** (*f.*)   language (Q)
hacer   to do, to make (H)
   hacer fila   to stand in line (6)
el **hambre** (*f.*)   hunger (H)
   tener hambre   to be hungry (H)
la **hamburguesa**   hamburger (Q)
hasta   until (H)
   ¡Hasta luego!   See you later! (H)
   ¡Hasta mañana!   See you tomorrow! (H)
   ¡Hasta pronto!   See you soon! (H)
hay (*inf.:* **haber**)   there is, there are (H)
el **helado**   ice cream (Q)
la **hermana**   sister (H)
las **hermanas**   sisters (H)
la **hermanastra**   stepsister (H)
el **hermanastro**   stepbrother (H)
el **hermano**   brother (H)
los **hermanos**   brothers, brothers and sisters (H)
la **hija**   daughter (H)
el **hijo**   son (H)
los **hijos**   children (H)
la **hoja de papel**   sheet of paper (H)
   ¡Hola!   Hello! Hi! (H)
el **hombre**   man (H)
el **hombro**   shoulder (Q)
la **hora**   hour, time (H)
   ¿A qué hora...?   At what time...? (Q)
   ¿Qué hora es?   What time is it? (Q)
el **horario**   schedule (6)
el **horno**   oven (Q)
el **hospital**   hospital (2)
   hoy   today (H)
el **huevo**   egg (Q)
   huevos fritos   fried eggs (Q)
   huevos pasados por agua   hard-boiled eggs (Q)
   huevos revueltos   scrambled eggs (Q)

I

la **idea**   idea (R)
la **iglesia**   church (9)
impaciente   impatient (Q)
el **impermeable**   raincoat (Q)
importante   important (H)
el **incendio**   fire (2)
incómodo, incómoda
    uncomfortable (6)
el **inglés**   English (H)
inteligente   intelligent (Q)
interesante   interesting (H)
el **invierno**   winter (H)
ir   to go (H)
    ir a (+ *inf.*)   to be going to (H)
    ir a pie   to go on foot (3)
    ir de pesca   to go fishing (1)
    ir en bicicleta   to ride a bike (1)
    irse (*reflexive*)   to leave, go away (Q)
     Me voy a la escuela.
       I'm leaving for school. (Q)
la **izquierda**   left (3)

J

el **jabón**   soap (7)
el **jamón**   ham (Q)
el **jardín**   garden (4)
las **joyas**   jewelry (11)
la **joyería**   jewelry store (11)
la **joyera**   (female) jeweler (11)
el **joyero**   (male) jeweler (11)
el **juego electrónico**   electronic game (1)
el **jueves**   Thursday (H)
    los jueves   on Thursdays (H)
el **jugador**   (male) player (1)
la **jugadora**   (female) player (1)
jugar   to play (1)
el **jugo**   juice (Q)
julio   July (H)
junio   June (H)
junto, junta   together (R)

L

la **la** (*f. s.*)   the (H)
el **labio**   lip (Q)
lacio, lacia   straight (hair) (Q)
el **lago**   lake (5)
la **lámpara**   lamp (Q)
la **lancha**   motor boat (12)
el **lápiz** (*pl.: lápices*)   pencil (H)
largo, larga   long (H)
las (*f. pl.*)   the (H)
la **lata**   can (Q)
la **lavadora**   washing machine (Q)
el **lavaplatos** (*pl.: lavaplatos*)
    dishwasher (Q)
lavar   to wash (Q)
lavarse (*reflexive*)   to wash oneself (Q)
le   to him/her/you (H)
la **lección**   lesson (H)
la **leche** (*f.*)   milk (Q)
leer   to read (H)
las **legumbres** (*f.*)   vegetables (Q)
lejos de   far from (Q)
la **lengua**   tongue (Q)
levantarse (*reflexive*)   to get up (Q)
el **libro**   book (H)
la **licuadora**   blender (Q)
el **limón** (*pl.: limones*)   lemon (Q)
limpiar   to clean, to wash (Q)
limpio, limpia   clean (Q)
la **línea aérea**   airline (6)
llamarse   to be called (H)
el **llavero**   key ring, key chain (11)
llegar   to arrive (6)
llevar   to wear (Q)
llover   to rain (H)
el **loro**   parrot (H)
los (*m. pl.*)   the (H)
luego   later, then (H)
el **lugar** (*pl.: lugares*)   place (10)
el **lunes**   Monday (H)
    los lunes   on Mondays (H)
la **luz** (*pl.: luces*)   light (H)

M

madrastra   stepmother (H)
madre   mother (H)
maestra   (female) teacher (Q)
maestro   (male) teacher (Q)
maíz   corn (Q)
mal   bad (*adj. before a m. s. noun*) (H)
mal (*adv.*)   badly (H)
  Me queda mal.   It fits me badly. (Q)
maleta   suitcase, travel bag (6)
mamá   mother, mom (H)
mañana (*adv.*)   tomorrow (H)
mañana   morning (H)
mango   mango (Q)
mano (*f.*)   hand (Q)
manta   blanket (7)
mantel   tablecloth (Q)
manzana   apple (Q); city block (10)
mapa (*m.*)   map (H)
mar   sea (12)
maravilloso, maravillosa
  marvelous, wonderful (H)
margarina   margarine (Q)
mariposa   butterfly (H)
marrón (*pl.*: **marrones**)   brown (H)
martes   Tuesday (H)
  los martes   on Tuesdays (H)
marzo   March (H)
más   plus (H); more (Q)
  el más, la más   the most (Q)
  más…que   more…than (Q)
matemáticas   mathematics (H)
mayo   May (H)
me   myself, to me (H)
  Me gusta…   I like… (H)
  Me llamo…   My name is… (H)
mediano, mediana   medium (Q)
medianoche   midnight (H)
medias   socks, stockings (Q)
médica   (female) doctor (2)
médico   (male) doctor (2)
medio, media   half (H)
mediodía   noon (H)

la **mejilla**   cheek (Q)
   menos   less, minus (Q)
     el menos, la menos   the least (Q)
     menos…que   less…than (Q)
el **mercado**   market (3)
     mercado al aire libre
       open-air market (9)
el **menú**   menu (8)
la **mermelada**   jam, marmalade (Q)
el **mes**   month (H)
la **mesa**   table (H)
la **mesita de noche**   night table (Q)
el **metro**   subway (9)
   mi (*pl.*: **mis**)   my (H)
las **microondas**   microwaves (Q)
     el horno de microondas   microwave
       oven (Q)
el **miedo**   fear (H)
     tener miedo   to be afraid (H)
el **miércoles**   Wednesday (H)
     los miércoles   on Wednesdays (H)
el **minuto**   minute (H)
   mirar   to look, to watch (H)
   moderno, moderna   modern (7)
la **moneda**   coin (8)
la **montaña**   mountain (5)
   montar a caballo   to ride a horse (1)
el **monumento**   monument (9)
   morado, morada   purple (H)
la **muchacha**   girl (H)
el **muchacho**   boy (H)
   mucho (*adv.*)   a lot (H)
   mucho, mucha (*adj.*)   much (H)
los **muebles**   furniture (Q)
la **mujer** (*pl.*: **mujeres**)   woman (H)
el **mundo**   world (Q)
el **museo**   museum (9)
la **música**   music (H)
   muy   very (H)

N

nada   nothing (Q)

nadar to swim (H)
nadie no one, nobody (Q)
la **naranja** orange (fruit) (Q)
la **nariz** (*f.; pl.: **narices***) nose (Q)
necesitar to need (7)
negro, negra black (Q)
nervioso, nerviosa nervous (9)
nevar to snow (H)
ni nor (R)
la **nieta** granddaughter (H)
el **nieto** grandson (H)
los **nietos** grandchildren (H)
no no (H)
la **noche** (*f.*) night, evening (H)
   ¡Buenas noches! Good evening! (H)
el **norte** north (10)
nos to us (Q); ourselves (Q)
   Nos gusta(n)... We like... (H)
nosotras (*f. pl.*) we, us (Q)
nosotros (*m. pl.*) we, us (Q)
la **nota** grade (R)
noviembre November (H)
los **novios** sweethearts (H)
nublado, nublada cloudy (H)
nuestra (*f. s.*) our (Q)
nuestro (*m. s.*) our (Q)
nuestras (*f. pl.*) our (Q)
nuestros (*m. pl.*) our (Q)
nuevo, nueva new (Q)
el **número** number (H)
nunca never (H)

O

la **obrera** (female) factory worker (2)
el **obrero** (male) factory worker (2)
octubre October (H)
el **oeste** west (10)
la **oficina** office (Q)
el **ojo** eye (Q)
la **ola** wave (12)
ondulado, ondulada wavy (Q)
la **oportunidad** opportunity (Q)

la **oreja** ear (Q)
el **oso** bear (H)
el **otoño** fall, autumn (H)

P

el **paciente** (male) patient (2)
la **paciente** (female) patient (2)
el **padrastro** stepfather (H)
pagar to pay (5)
el **país** (*pl.: **países***) country (4)
el **pájaro** bird (H)
el **pan** bread (Q)
   pan tostado toast (Q)
los **pantalones** slacks, trousers, pants (Q)
el **papá** father, dad (H)
la **papa** potato (Q)
los **papás** parents (H)
la **papaya** papaya (Q)
el **papel** (*pl.: **papeles***) paper (H)
la **parada de autobús** bus stop (3)
la **pared** (*pl.: **paredes***) wall (H)
el **parque** (*m.*) park (H)
la **parte** (*f.*) part (Q)
la **pasajera** (female) passenger (6)
el **pasajero** (male) passenger (6)
pasar to pass (Q)
   pasar la aspiradora to vacuum (C
   pasar el tiempo to spend time (1)
el **paso de peatones**
   pedestrian crossing (10)
el **pasillo** corridor, hall, hallway (Q)
patinar to skate (H)
el **patio** courtyard, patio (4)
el **pavo** turkey (Q)
el **peatón** (*pl.: **peatones***) pedestrians (10)
pedir to ask for, to order (3)
peinarse (*reflexive*) to comb one's hair (C
el **peligro** danger (12)
el **pelo** hair (Q)
   pelo castaño brown hair (Q)
   pelo lacio straight hair (Q)
   pelo ondulado wavy hair (Q)

pelo rizado   curly hair (Q)
pensar (+ *inf.*)   to think, to plan (Q)
pequeño, pequeña   small (H)
pera   pear (Q)
perderse (*reflexive*)   to get lost (10)
perdonar   to forgive (Q)
    ¡Perdóname!   Forgive me! (Q)
pero   but (Q)
perro   dog (H)
persona   person (Q)
pescado   (cooked) fish (Q)
pestañas   eyelashes (Q)
pez (*pl.: **peces***)   (live) fish (H)
pie (*m. s.*)   foot (Q)
    a pie   on foot (3)
pierna   leg (Q)
pijama   pajamas (Q)
piloto   (male) pilot (6)
piloto   (female) pilot (6)
pimienta   pepper (Q)
pintar   to paint (H)
piña   pineapple (Q)
piso   floor (Q)
pizarra   chalkboard (H)
plancha   iron (appliance) (Q)
planchar   to iron (Q)
planta   plant (Q)
plátano   banana (Q)
platillo   saucer (Q)
plato   dish, plate (Q)
playa   beach (5)
plaza   public square (9)
poco   a little bit (Q)
poder   to be able (Q)
policía   police force (2); (female) police
    officer (2)
policía   (male) police officer (2)
pollo   chicken (Q)
polvo   dust (Q)
    quitar el polvo   to dust (Q)
poner   to set, place (Q)
    poner la mesa   to set the table (Q)
ponerse (*reflexive*)   to put on, to wear (Q)

popular   popular (Q)
por   in (H)
    ¡Por favor!   Please! (Q)
    por fin   at last (R)
    ¡Por supuesto!   Of course! (Q)
    por último (*adv.*)   last, finally (Q)
practicar   to practice (H)
preferir   to prefer (8)
la **prima**   (female) cousin (H)
la **primavera**   spring (H)
primero (*adv.*)   first (Q)
el **primero**   the first (of the month) (H)
el **primo**   (male) cousin (H)
la **prisa**   hurry (H)
probar   to taste, to try (Q)
el **profesor**   (male) teacher (H)
la **profesora**   (female) teacher (H)
prohibir   to forbid (12)
pronto   soon (H)
la **propina**   tip (8)
próximo, próxima   next (H)
la **puerta**   door (Q); gate (airport) (6)
el **puerto**   port (4)
la **puesta del sol**   sunset (H)
el **punto**   dot, point (H)
    en punto   on the dot, sharp (time) (H)
el **pupitre**   student's desk (H)

Q

que   than (Q)
¿qué?   what? (H)
    ¿Qué tal?   How is it going? (H)
    ¿Qué tienes?   What's the matter?
        What do you have? (H)
    ¿Qué vas a comprar?
        What are you going to buy? (Q)
quedar adelante
        to be (located) ahead (10)
quedar atrás   to be (located) behind (10)
quedarse (*reflexive*)   to fit, to look
        (clothes) (Q)

Me queda bien/mal. It fits me well/ badly. It looks good/bad on me. (Q)

el **quehacer** (*pl.: quehaceres*) chore (Q)

quemado, quemada burnt, sunburnt (12)

querer to want (Q)

el **queso** cheese (Q)

¿quién? who? (H)

quitar to remove, to take off (Q)

quitarse la ropa to undress (Q)

R

el **radio** radio (Q)

rápido (*adv.*) fast, quickly (10)

el **rascacielos** (*m. s., pl.*) skyscraper (3)

el **ratón** (*pl.: ratones*) mouse (H)

la **razón** (*pl.: razones*) reason (H)

recibir to get, to receive (Q)

recoger to pick up (Q)

el **rectángulo** rectangle (H)

el **refrigerador** (*pl. : refrigeradores*) refrigerator (Q)

el **regalo** gift, present (11)

regar las plantas to water the plants (Q)

la **región** (*pl.: regiones*) region, area (Q)

la **regla** ruler (H)

el **reloj** (*pl.: relojes*) clock (H)

el **restaurante** restaurant (Q)

el **retrato** portrait (Q)

el **río** river (5)

rizado, rizada curly (hair) (Q)

la **rodilla** knee (Q)

rojizo, rojiza reddish (hair) (Q)

rojo, roja red (H)

la **ropa** clothes, clothing (Q)

el **ropero** closet (Q)

rosado, rosada pink (H)

rubio, rubia blond (Q)

S

el **sábado** Saturday (H)

los sábados on Saturdays (H)

saber to know (H)

saber (+ *inf.*) to know how to (Q)

sacar to take out (Q)

sacar fotos to take photographs (1)

sacar la basura to take out the trash (Q)

la **sal** salt (Q)

la **sala** living room (Q)

la **salida** exit (H)

el **salón de clase** classroom (H)

el **salvavidas** life preserver (12)

la **salud** (*f.*) health (H)

la **sandalia** sandal (11)

la **sandía** watermelon (Q)

el **sándwich** (*pl.: sándwiches*) sandwich (Q)

se (*s.*) himself, herself, yourself (H)

Se llama... His/Her name is... (Q)

se (*pl.*) themselves, yourselves (Q)

la **secadora** dryer (Q)

secar to dry (Q)

secarse (*reflexive*) to dry oneself (Q)

la **secretaria** (female) secretary (Q)

el **secretario** (male) secretary (Q)

la **sed** thirst (H)

seguir to continue, to follow (3)

la **semana** week (H)

la semana pasada last week (11)

el **semáforo** traffic light (3)

sensacional sensational (H)

señor Mister (H)

el **señor** man, gentleman (H)

señora Mrs., ma'am (H)

la **señora** woman, lady (H)

señorita Miss (H)

la **señorita** young lady (H)

septiembre September (H)

ser to be (H)

eres you are (Q)

son they are (Q)

soy I am (Q)

la **servilleta** napkin (Q)

servir to serve (3)

sí yes (H)

siempre always (H)

silla chair (H)

sillón (*pl.*: *sillones*) armchair (Q)

simpático, simpática nice (H)

sinagoga synagogue (9)

sobre on, on top of, over (Q)

sofá (*m.*) sofa (Q)

sol sun (H)

    Hace sol. It's sunny. (H)

sombrero hat (Q)

sombrilla umbrella (12)

sopa soup (Q)

sótano basement, cellar (Q)

Sr. (See *señor*)

Sra. (See *señora*)

Srta. (See *señorita*)

su (*pl.*: *sus*) his, her, your (H), their (Q)

subir to go up (Q)

    subir las escaleras to go up the stairs (Q)

sucio, sucia dirty (Q)

sueño sleep (H)

    tener sueño to be sleepy (H)

suerte (*f.*) luck (H)

suéter sweater (Q)

supermercado supermarket (9)

sur south (10)

tal such (H)

también also, too (H)

tampoco neither, not ... either (R)

tarde afternoon, evening (H)

tarde late (6)

tarjeta postal postcard (7)

taxi taxi (3)

taxista (male) taxi driver (3)

taxista (female) taxi driver (3)

taza cup (Q)

te yourself, to you (H)

¿Cómo te llamas? What's your name? (H)

¿Te gusta? Do you like it? (H)

te duele(n)… your…hurt(s) (Q)

te queda(n)… (it) fit(s) you, looks…on you (Q)

el **té** tea (Q)

el **teatro** theater (3)

el **techo** roof (Q)

el **teléfono** telephone (H)

la **televisión** television (Q)

el **televisor** television set (Q)

la **temperatura** temperature (H)

temprano early (Q)

el **tenedor** fork (Q)

tener to have (H)

    ¿Qué tienes? What's the matter? What do you have? (H)

    tener que (+ *inf.*) to have to (Q)

el **tenis** tennis (1)

terrible terrible (H)

la **tía** aunt (H)

el **tiempo** weather, time (H)

la **tienda** store (H)

la **tienda de ropa** clothing store (Q)

el **tigre** (*m.*) tiger (H)

tímido, tímida shy (Q)

el **tío** uncle (H)

los **tíos** uncles, aunts and uncles (H)

la **tiza** chalk (H)

la **toalla** towel (7)

el **tobillo** ankle (Q)

el **tocador** (*pl.*: *tocadores*) dresser (Q)

tocar to touch (Q)

    tocar un instrumento to play an instrument (1)

todavía still (6)

todo, toda (*s.*) all (Q)

todos, todas (*pl.*) all (Q)

    todos los días every day (Q)

tomar to have (food), to drink (Q)

    tomar el desayuno to have breakfast (Q)

tomar el sol   to sunbathe (12)

la **toronja**   grapefruit (Q)

la **tortilla**   flat bread (Q)

la **tortuga**   turtle (H)

tostado, tostada   toasted (Q)

el **tostador**   toaster (Q)

trabajar   to work (Q)

traer   to bring (Q)

el **traje de baño**   swimsuit (Q)

el **transporte**   transportation (4)

transporte de larga distancia   long-distance transportation

el **trapeador** (*m.*)   mop (Q)

el **trapo**   rag (Q)

el **tren** (*m.; pl.: **trenes***)   train (4)

el **triángulo**   triangle (H)

triste   sad (9)

tropical   tropical (Q)

tu (*pl.: **tus***) (*informal*)   your (H)

tú (*informal*)   you (H)

el **turista**   (male) tourist (7)

la **turista**   (female) tourist (7)

U

último, última   last (Q)

   Por último, me pongo la ropa.

      Last, I get dressed. (Q)

un, una   a, an (H)

unas (*f.; pl.*)   some, a few (H)

la **unidad** (*pl.: **unidades***)   unit (H)

unos (*m.; pl.*)   some, a few (H)

usar   to use (H)

usted (*s. formal; pl.: **ustedes***)   you (Q)

la **uva**   grape (Q)

V

el **vaso**   glass (Q)

el **vendedor**   (male) salesperson (2)

la **vendedora**   (female) salesperson (2)

vender   to sell (2)

la **ventana**   window (H)

la **ventanilla**   bank teller's window (8)

¿verdad?   is that right? (Q)

verde   green (H)

el **vestido**   dress, suit (Q)

viajar   to travel (5)

el **viaje**   trip (5)

la **viajera**   (female) traveler (5)

el **viajero**   (male) traveler (5)

la **videocasetera**   VCR (Q)

viejo, vieja   old (Q)

el **viento**   wind (H)

el **viernes**   Friday (H)

   los viernes   on Fridays (H)

la **vista**   view (Q)

vivir   to live (Q)

volar   to fly (6)

el **volcán** (*m.; pl.: **volcanes***)   volcano (5)

el **volibol**   volleyball (1)

volver   to return (Q)

el **vuelo**   flight (6)

Y

y   and (H)

   ¿Y tú?   How about you? (H)

yo   I (H)

Z

la **zanahoria**   carrot (Q)

la **zapatería**   shoe store (11)

el **zapatero**   (male) shoemaker (11)

la **zapatera**   (female) shoemaker (11)

el **zapato**   shoe (Q)

el **zapote**   sapodilla (tropical fruit) (Q)

WORD LIST

ENGLISH-SPANISH

This list gives English words with similar meanings to the Spanish words that you've learned in *¡Adelante!* A number in parentheses indicates the unit where a word is taught. (H) indicates that a word was first presented in *¡Hola!;* (Q) indicates that a word was first presented in *¿Qué tal?* (R) indicates that the word is taught in the *Repaso* unit of *¡Adelante!*

A

a, an   un (*m.*), una (*f.*)
after   después, luego (H)
afternoon   la tarde (H)
ahead   adelante (9)
airline   la línea aérea (6)
airplane   el avión (*pl.*: **aviones**) (4)
airport   el aeropuerto (4)
all   todo, toda (*s.*); todos, todas (*pl.*) (Q)
a lot   mucho, mucha (H)
always   siempre (H)
among   entre (H)
amusing   divertido, divertida (H)
angry   enojado, enojada (9)
animal   el animal (*pl.*: **animales**) (H)
ankle   el tobillo (Q)
answer   contestar (R)
antique   antiguo, antigua (7)
apartment   el apartamento (Q)
apartment building
   el edificio de apartamentos (9)
apple   la manzana (Q)
arm   el brazo (Q)
armchair   el sillón (Q)
arrive   llegar (Q)
art   el arte (H)
ask for   pedir (8)
ask questions   hacer preguntas (6)
athletic   atlético, atlética (Q)
auditorium   el auditorio (Q)

aunt   la tía (H)
autumn   el otoño (H)
avenue   la avenida (3)

B

back   la espalda (Q)
back (*adv.*)   detrás (Q)
 in back of   detrás de (Q)
bad   mal (*adj; before a m. s. noun*) (Q)
badly   mal (Q)
bag   la bolsa (11)
baggage   el equipaje (6)
balcony   el balcón (Q)
ballpoint pen   el bolígrafo (H)
banana   el plátano (Q)
bank   el banco (8)
 bank teller   el cajero, la cajera (8)
 bank teller's window
   la ventanilla (8)
baseball   el béisbol (1)
basement   el sótano (Q)
basic   básico, básica (Q)
basket   la cesta (H)
basketball   el baloncesto (1)
bath, to take a   bañarse (Q)
bathing suit   el traje de baño (Q)
bathrobe   la bata (Q)
bathroom   el baño (Q)
bathtub   la bañera (7)

to **be** (*in a place, for a time*)   estar (Q)
to **be**   ser (H)
to **be able**   poder (Q)
to **be found**   encontrarse (10)
to **be located**   quedar (10)
   be ahead   quedar adelante (10)
   be behind   quedar atrás (10)
   beach   la playa (5)
   beans   los frijoles (Q)
   bear   el oso (H)
to **beat**   batir (R)
   bed   la cama (H)
   bedroom   el dormitorio (Q)
   before   antes (H)
to **begin**   comenzar (Q)
   behind   detrás de (Q); atrás (10)
   belt   el cinturón (11)
   beneath   debajo de (Q)
   better   mejor (R)
   between   entre (H)
   bicycle   la bicicleta (1)
   big   grande (H)
   bill   el billete; la cuenta (8)
   bird   el pájaro (H)
   birthday   el cumpleaños (H)
   black   negro, negra (H)
   blanket   la manta (7)
   blender   la licuadora (Q)
   blond   rubio, rubia (Q)
   blouse   la blusa (Q)
   blue   azul (H)
   boat   el barco (4); la lancha (12)
   body   el cuerpo (Q)
   book   el libro (H)
   bookcase   el estante (Q)
   boot   la bota (Q)
   boring   aburrido, aburrida (H)
   bowl   el bol (Q)
   box   la caja (Q)
   boy   el muchacho (H)
   bracelet   el brazalete (11)
   bread   el pan (Q)
   breakfast   el desayuno (Q)

to **bring**   traer (Q)
   broom   la escoba (Q)
   brother   el hermano (H)
   brown   marrón (H)
   brown (hair, eyes)   castaño, castaña (Q)
to **brush one's teeth**   cepillarse los dientes (Q)
to **buckle**   abrochar (3)
   building   el edificio (3)
   burnt   quemado, quemada (12)
   bus   el autobús (3)
   bus stop   la parada de autobús (3)
   but   pero (Q)
   butterfly   la mariposa (H)
to **buy**   comprar (Q)
   by plane   en avión (6)

C

   cabinet   el gabinete (Q)
   cafeteria (school)   el comedor (Q)
   cake   el pastel, (*pl.*: ***pasteles***) (R)
   calendar   el calendario (H)
   can (*noun*)   la lata (Q)
   canary   el canario (H)
   can opener   el abrelatas (Q)
   cap   la gorra (Q)
   car   el automóvil (3), el coche (3)
   carpet   la alfombra (Q)
   carrot   la zanahoria (Q)
   cashier   el cajero, la cajera (8)
   cassette   el casete (11)
   cat   el gato (H)
   cereal   el cereal (Q)
   chalk   la tiza (H)
   chalk eraser   el borrador (H)
to **charm**   encantar (12)
   checkers   las damas (1)
   cheek   la mejilla (Q)
   cheese   el queso (Q)
   cherry   la cereza (Q)
   chess   el ajedrez (1)
   chestnut   castaño, castaña (Q)

chicken   el pollo (Q)
chili pepper   el chile (Q)
chimney   la chimenea (Q)
chocolate   el chocolate (Q)
chore   el quehacer *(pl.: **quehaceres**)* (Q)
church   la iglesia (9)
circle   el círculo (H)
city   la ciudad (3)
city block   la cuadra, la manzana (10)
city hall   la alcaldía (9)
class   la clase (H)
clean   limpio, limpia (Q)
clean   limpiar (Q)
climb   subir (Q)
clock   el reloj (H)
closed   cerrado, cerrada (8)
closet   el ropero (Q)
clothes   la ropa (Q)
clothing store   la tienda de ropa (Q)
cloudy   nublado, nublada (H)
coat   el abrigo (Q)
coin   la moneda (8)
cold   frío, fría (H)
collect   coleccionar (1)
color   el color (H)
comb one's hair   peinarse (Q)
comfortable   cómodo, cómoda (6)
compact disc   el disco compacto (11)
company   la compañía (2)
computer   la computadora (H)
community   la comunidad (2)
confused   confundido, confundida (9)
continue   seguir (3)
cook   cocinar (Q)
cook   el cocinero, la cocinera (Q)
cool   fresco, fresca (H)
corn   el maíz (Q)
corner   la esquina (10)
corridor   el pasillo (Q)
cost   costar (5)
country   el país (pl.: *países*) (4)
courtyard   el patio (Q)
cousin (female)   la prima (H)

cousin (male)   el primo (H)
cream   la crema (Q)
to cross   cruzar (10)
cup   la taza (Q)
curly (hair)   rizado, rizada (Q)
curtain   la cortina (Q)
custodian   el conserje, la conserje (Q)

D

dad   el papá (H)
to dance   bailar (H)
danger   el peligro (12)
date   la fecha (H)
daughter   la hija (H)
day   el día (H)
December   diciembre (Q)
den   el despacho (Q)
department   el departamento (2)
department store   el almacén (2)
to descend   bajar (Q)
desert   el desierto (5)
desk (student's)   el pupitre (H)
desk (teacher's)   el escritorio (H)
difficult   difícil (*pl.: **difíciles***) (H)
dining room   el comedor (Q)
dinner   la cena (Q)
director   el director, la directora (Q)
dirty   sucio, sucia (Q)
dish   el plato (Q)
dishwasher   el lavaplatos
   (*pl.: **lavaplatos***) (Q)
distance   la distancia (4)
to dive   bucear (12)
doctor   el médico, la médica (2)
dog   el perro (H)
dollar   el dólar (8)
dominoes   el dominó (1)
door   la puerta (Q)
down the stairs, to go
   bajar las escaleras (Q)
downtown   el centro (3)
drawer   el cajón (Q)

dream el sueño (H)
dress el vestido (Q)
dresser el tocador (Q)
to **drink** beber (Q)
drinking fountain
    la fuente de agua (Q)
driver el chofer, la chofera (3)
drugstore la farmacia (3)
to **dry** secar (Q)
dryer la secadora (Q)
dust el polvo (Q)
to **dust** quitar el polvo (Q)

E

ear la oreja (Q)
early temprano (Q)
east el este (10)
easy fácil (*pl: fáciles*) (H)
to **eat** comer (Q)
    eat breakfast desayunar (Q)
    eat dinner cenar (Q)
    eat lunch almorzar (Q)
egg el huevo (Q)
    fried eggs los huevos fritos (Q)
    hard-boiled eggs
        los huevos pasados por agua (Q)
    scrambled eggs
        los huevos revueltos (Q)
elbow el codo (Q)
electric mixer la batidora eléctrica (Q)
electrical socket el enchufe (Q)
electronic game el juego electrónico (1)
elevator el ascensor (7)
employee el empleado, la empleada (2)
end el fin (*pl.: fines*) (H)
entrance la entrada (Q)
evening la tarde (H)
to **examine** examinar (2)
example el ejemplo (R)
exit (*noun*) la salida (H)
to **extinguish** apagar (2)
eye el ojo (Q)

eyebrow la ceja (Q)
eyeglasses los anteojos (12)
eyelashes las pestañas (Q)

F

face la cara (Q)
factory la fábrica (2)
factory worker el obrero, la obrera (2)
family la familia (H)
fantastic fantástico, fantástica (H)
far from lejos de (Q)
to **fasten** abrochar (3)
fat grueso, gruesa (Q)
father el papá (H)
faucet el grifo (Q)
favor el favor (Q)
favorite favorito, favorita (H)
fear el miedo (H)
February febrero (H)
fence la cerca (Q)
few, a unos, unas (H)
fine bien (H)
finger el dedo (Q)
to **finish** acabar (Q)
fire el incendio (2)
firefighter el bombero, la bombera (2)
fire station la estación de bomberos (2)
first, the el primero (H)
fish (cooked) el pescado (Q)
fish (live) el pez (*pl.: peces*) (H)
to **fit** quedarse (Q)
flamingo el flamenco (H)
flight el vuelo (6)
flight attendant el aeromozo,
    la aeromoza (6)
to **float** flotar (12)
floor el piso (Q)
to **fly** volar (6)
to **follow** seguir (3)
food la comida (Q)
foot el pie (Q)
    on foot a pie (3)

football (U.S.)   el fútbol (1)
for   para, por (H)
forehead   la frente (Q)
forbid   prohibir (12)
forgive   perdonar (Q)
fork   el tenedor (Q)
fountain   la fuente (9)
from   de (H)
  from the United States
      estadounidense (4)
fruit   la fruta (Q)
fun   divertido, divertida (H)
furniture   los muebles (Q)

garage   el garaje (Q)
gas station   la gasolinera (3)
gate (airport)   la puerta (6)
gelatin   la gelatina (Q)
generous   generoso, generosa (Q)
geography   la geografía (H)
get dressed   ponerse la ropa (Q)
get lost   perderse (10)
get up   levantarse (Q)
gift   el regalo (11)
girl   la muchacha (H)
give   dar (8)
glass   el vaso (Q)
globe   el globo (H)
go   ir (H)
go away   irse (Q)
go down   bajar (Q)
go fishing   ir de pesca (1)
go on   seguir (3)
go on foot   ir a pie (3)
go out   salir (10)
go to bed   acostarse (Q)
go up   subir (Q)
good   buen, bueno, buena (11)
  Good afternoon.   Buenas tardes. (H)
  Good-bye!   ¡Adiós! (H)
  Good evening.   Buenas noches. (H)

  Good morning.   Buenos días. (H)
  Good night.   Buenas noches. (H)
grades   las notas (R)
grandchildren   los nietos (H)
granddaughter   la nieta (H)
grandson   el nieto (H)
grape   la uva (Q)
grapefruit   la toronja (Q)
gray   gris (H)
great-grandfather   el bisabuelo (H)
great-grandmother   la bisabuela (H)
green   verde (H)
group   el grupo (H)
to **guess**   adivinar (Q)
gymnasium   el gimnasio (H)

H

hair   el pelo (Q)
half   medio, media (H)
  half-hour, a   una media hora (H)
hall   el pasillo (Q)
ham   el jamón (Q)
hand   la mano (Q)
handbag   la bolsa (11)
to **hang**   colgar (Q)
happy   contento, contenta (9)
hard   duro, dura (7)
hat   el sombrero (Q)
to **have**   tener (H); tomar (to eat) (Q)
to **have breakfast**   tomar el desayuno (Q)
to **have just**   acabar de + *inf.* (Q)
to **have to**   tener que + *inf.* (Q)
he   él (H)
head   la cabeza (Q)
health   la salud (H)
to **help**   ayudar (2)
herself   se (Q)
Hi!   ¡Hola! (H)
high school   el colegio (9)
himself   se (Q)
home   la casa (H)
homework   la tarea (Q)

horse   el caballo (1)
hospital   el hospital (2)
hot   caliente (7)
hot chocolate   el chocolate (Q)
hotel   el hotel (7)
hour   la hora (H)
  hour and a half, an
    una hora y media (H)
  hour and a quarter, an   una hora y
    cuarto (H)
house   la casa (H)
how?   ¿cómo? (H)
  how many?   ¿cuántos…? ¿cuántas…?
    (H)
  how much?   ¿cuánto…? ¿cuánta…?
    (H)
  know how to   saber + *inf.* (Q)
hunger   el hambre (*f.*) (H)
hamburger   la hamburguesa (Q)
hurry   la prisa (H)
to **hurt**   doler (Q)

I

I   yo (H)
ice cream   el helado (Q)
impatient   impaciente (Q)
in   en, entre (H); dentro de (Q)
  in front of   delante de (Q)
infirmary   la enfermería (Q)
inside   dentro de (Q)
intelligent   inteligente (Q)
interesting   interesante (H)
iron (appliance)   la plancha (Q)
to **iron**   planchar (Q)
It's…   Es…; Está… (H)
  It's cloudy.   Está nublado. (H)
  It's cold.   Hace frío. (H)
  It's cool.   Hace fresco. (H)
  It's hot.   Hace calor. (H)
  It's raining.   Está lloviendo. Llueve. (H)
  It's snowing.   Está nevando. Nieva. (H)
  It's sunny.   Hace sol. (H)

  It's windy.   Hace viento. (H)

J

jacket   la chaqueta (Q)
jam   la mermelada (Q)
janitor   el conserje, la conserje (Q)
January   enero (Q)
jeweler   el joyero, la joyera (11)
jewelry   las joyas (11)
jewelry store   la joyería (11)
jewels   las joyas (11)
juice   el jugo (Q)
July   julio (H)
June   junio (H)

K

key   la llave (7)
key chain   el llavero (11)
key ring   el llavero (11)
kitchen   la cocina (Q)
knee   la rodilla (Q)
knife   el cuchillo (Q)
to **know**   conocer (2)
to **know how**   saber (Q)

L

lake   el lago (5)
lamp   la lámpara (Q)
to **land**   aterrizar (6)
large   grande (H)
last   último, última; por último (Q)
last week   la semana pasada (11)
last year   el año pasado (11)
late   tarde (6)
to **learn**   aprender (H)
least   el/la menos (Q)
to **leave**   irse (Q)
left   la izquierda (3)
  to the left   a la izquierda (3)
leg   la pierna (Q)

lemon el limón (Q)

less menos (Q)

   less...than menos...que (Q)

lesson la lección (H)

letter la carta (Q)

librarian el bibliotecario, la bibliotecaria (Q)

library la biblioteca (Q)

lie down acostarse (Q)

life preserver el salvavidas (12)

light la luz (H)

light bulb la bombilla (Q)

like gustar (H)

lip el labio (Q)

little pequeño, pequeña (H)

live vivir (Q)

living room la sala (Q)

long largo, larga (H)

   long-distance de larga distancia (4)

look mirar (H)

look for buscar (R)

luck la suerte (H)

lunch el almuerzo (Q)

mailbox el buzón (*pl.*: **buzones**) (Q)

make hacer (Q)

man el hombre (H)

map el mapa (H)

margarine la margarina (Q)

market el mercado (3)

marmalade la mermelada (Q)

marvelous maravilloso, maravillosa (H)

May mayo (H)

maybe quizás (R)

mayor (of a city) el alcalde, la alcaldesa (9)

me me, mí (H)

meat la carne (Q)

meatballs las albóndigas (Q)

medical doctor el médico, la médica (2)

medium mediano, mediana (Q)

meet conocer (2); encontrarse (con) (10)

menu el menú (8)

microwave oven el horno de microondas (Q)

midday el mediodía (H)

midnight la medianoche (H)

milk la leche (Q)

minute el minuto (H)

mirror el espejo (Q)

Miss Señorita (H)

modern moderno, moderna (7)

mom la mamá (H)

money el dinero (8)

monument el monumento (9)

mop el trapeador (Q)

more más (H)

   more...than más...que (Q)

morning la mañana (Q)

most el/la más (Q)

mother la madre (H)

motor boat la lancha (12)

mountain la montaña (5)

mouse el ratón (H)

mouth la boca (Q)

movie theater el cine (H)

Mr. Señor (H)

Mrs. Señora (H)

museum el museo (9)

music la música (H)

music store la tienda de música (11)

musical instrument el instrumento (1)

my mi (*pl.*: **mis**) (Q)

myself, me me (H)

N

name el nombre (H)

   My name is... Me llamo... (H)

napkin la servilleta (Q)

near cerca de (Q)

neck el cuello (Q)

necklace el collar (11)

to **need** necesitar (7)

neither tampoco (R)

nervous nervioso, nerviosa (9)
never nunca (H)
new nuevo, nueva (Q)
next week la próxima semana (H)
nice simpático, simpática (Q)
night la noche (H)
night table la mesita de noche (Q)
no no (Q)
nobody nadie (Q)
noodles los espaguetis (Q)
noon el mediodía (H)
no one nadie (Q)
nor ni (R)
north el norte (10)
nose la nariz (*pl.*: *narices*) (Q)
notebook el cuaderno (H)
nothing nada (Q)
November noviembre (H)
now ahora (H)
nurse el enfermero, la enfermera (Q)

O

oatmeal la avena (Q)
October octubre (H)
of de (H)
office la oficina (Q)
old viejo, vieja (Q)
old-fashioned antiguo, antigua (7)
on en, sobre (Q)
  on foot a pie (3)
  on top of sobre (Q)
open abierto, abierta (8)
to **open** abrir (Q)
open-air market
  mercado al aire libre (9)
opportunity la oportunidad (Q)
orange (color) anaranjado,
  anaranjada (H)
orange (fruit) la naranja (Q)
to **order** pedir (3)
our nuestro, nuestra (*s.*);
  nuestros, nuestras (*pl.*) (Q)

ourselves nos (Q)
out fuera de (Q)
outside (*adv.*) afuera; fuera de (Q)
oven el horno (Q)
owner el dueño, la dueña (2)

P

pain, to be in, to have a
  tener dolor (H)
to **paint** pintar (H)
painting el cuadro (Q)
pajamas el pijama (Q)
pants los pantalones (Q)
paper el papel (*pl.*: *papeles*) (H)
parents los papás (H)
park el parque (H)
parking lot el estacionamiento (3)
parrot el loro (H)
part la parte (Q)
to **pass** pasar (Q)
passenger el pasajero, la pasajera (6)
patient el/la paciente (2)
patio el patio (Q)
to **pay** pagar (5)
to **pay attention** fijarse (H)
pear la pera (Q)
peas los guisantes (Q)
pedestrian el peatón (*pl.*: *peatones*)
  (10)
pedestrian crossing el paso de
  peatones (10)
pen (ballpoint) el bolígrafo (H)
pencil el lápiz (H)
people la gente (2)
pepper la pimienta (Q)
person la persona (Q)
pharmacy la farmacia (3)
photos las fotos (1)
physical education
  la educación física (H)
to **pick up** recoger (Q)
picture el cuadro (Q)

pillow   la almohada (Q)
pilot   el piloto, la piloto (6)
pineapple   la piña (Q)
pink   rosado, rosada (H)
place   el lugar (*pl.*: **lugares**) (10)
plan   pensar + *inf.* (Q)
plants   las plantas (1)
plate   el plato (Q)
play   jugar (1)
   play an instrument
      tocar un instrumento (1)
   play sports   practicar los deportes (H)
player   el jugador, la jugadora (1)
pleasant   simpático, simpática (Q)
please   gustar (H)
plug   el enchufe (Q)
point   el punto (H)
police force   la policía (2)
police officer   el policía, la policía (2)
polo shirt   la camiseta (Q)
popular   popular (Q)
port   el puerto (4)
portrait   el retrato (Q)
post office   el correo (R)
postage stamps   las estampillas (1)
postcard   la tarjeta postal (7)
poster   el cartel (Q)
potato   la papa (Q)
practice   practicar (H)
prefer   preferir (8)
prepare   preparar (R)
present (gift)   el regalo (11)
pretty   bonito, bonita (Q)
principal   el director, la directora (Q)
public square   la plaza (9)
purple   morado, morada (H)
put   poner (Q)
put on   ponerse (Q)

quarter-hour, a   un cuarto de hora (H)
question   la pregunta (R)

quick   rápido, rápida (10)
quickly   rápido (10)

R

rabbit   el conejo (H)
radio   el radio (Q)
rag   el trapo (Q)
to **rain**   llover (H)
raincoat   el impermeable (Q)
rapid   rápido, rápida (10)
reason   la razón (H)
to **receive**   recibir (Q)
record (*noun*)   el disco (11)
rectangle   el rectángulo (H)
red   rojo, roja (H)
reddish (hair)   rojizo, rojiza (Q)
refrigerator   el refrigerador
   (*pl.*: **refrigeradores**) (Q)
to **rest**   descansar (5)
restaurant   el restaurante (8)
restaurant check   la cuenta (8)
to **return**   volver (Q)
review   el repaso (Q)
rice   el arroz (Q)
to **ride a bike**   ir en bicicleta (1)
to **ride a horse**   montar a caballo (1)
right   la derecha (3)
   to the right   a la derecha (3)
right, to be   tener razón (Q)
river   el río (5)
robe   la bata (Q)
roof   el techo (Q)
room   el cuarto (Q); la habitación (hotel)
   (7)
rug   la alfombra (Q)
ruler   la regla (H)
to **run**   correr (Q)

S

sad   triste (9)
sailboat   el barco de vela (12)

salad   la ensalada (Q)

salesperson   el vendedor, la vendedora (2)

salt   la sal (Q)

sand   la arena (12)

sandals   las sandalias (11)

sandwich   el sándwich (Q)

Saturday   el sábado (H)

saucer   el platillo (Q)

to **save**   ahorrar (8)

to **say**   decir (6)

schedule   el horario (6)

school   la escuela (H)

school principal   el director, la directora (Q)

science   las ciencias (H)

sculpture   la escultura (9)

sea   el mar (12)

seashell   la concha (12)

season   la estación (H)

seat   el asiento (6)

seatbelt   el cinturón (3)

secretary   la secretaria, el secretario (Q)

to **see**   ver (6)

See you later.   Hasta luego. (H)

See you soon.   Hasta pronto. (H)

See you tomorrow.   Hasta mañana. (H)

to **sell**   vender (2)

sensational   sensacional *(pl. **sensacionales**)* (H)

September   septiembre (H)

to **serve**   servir (3)

to **set**   poner (Q)

   set the table   poner la mesa (Q)

to **shake hands**   dar la mano (8)

she   ella (H)

shelf   el estante (Q)

ship   el barco (4)

shirt   la camisa (Q)

shoemaker   el zapatero, la zapatera (11)

shoes   los zapatos (Q)

shoe store   la zapatería (11)

short   corto, corta (H); bajo, baja (Q)

shoulder   el hombro (Q)

shower   la ducha (7)

to **shut**   cerrar (Q)

shut   cerrado, cerrada (8)

shy   tímido, tímida (Q)

to **sing**   cantar (H)

sink   el fregadero (Q)

sister   la hermana (H)

to **skate**   patinar (H)

skirt   la falda (Q)

skyscraper   el rascacielos (3)

slacks   los pantalones (Q)

to **sleep**   dormir (R)

sleepy, to be   tener sueño (H)

slow   despacio (10)

small   pequeño, pequeña (H)

snail shell   el caracol (12)

to **snow**   nevar (H)

so   así, tan (H)

soap   el jabón (7)

soccer   el fútbol (1)

social sciences   las ciencias sociales (H)

socks   los calcetines (Q)

sofa   el sofá (Q)

soft   blando, blanda (7)

some   algún, alguna (2); unos *(m.)*, unas *(f.)* (H)

somebody   alguien (Q)

something   algo (Q)

son   el hijo (H)

soon   pronto (H)

sound system   el equipo de sonido (Q)

soup   la sopa (Q)

south   el sur (10)

spaghetti and meatballs   los espaguetis con albóndigas (Q)

to **speak**   hablar (H)

special   especial (11)

to **spend**   gastar (8)

to **spend time**   pasar el tiempo (1)

spoon   la cuchara (Q)

sports   los deportes (H)

spring   la primavera (H)

square el cuadrado (H)
stadium el estadio (9)
stairs las escaleras (Q)
stand in line hacer fila (6)
start comenzar (Q)
station la estación (2)
stay quedarse (*reflexive*) (7)
stepbrother el hermanastro (H)
stepfather el padrastro (H)
stepmother la madrastra (H)
stepsister la hermanastra (H)
still todavía (6)
stockings las medias (Q)
store la tienda (H), el almacén (2)
stout grueso, gruesa (Q)
stove la estufa (Q)
straight (hair) lacio (Q)
straight (*adv.*) derecho (3)
strawberry la fresa (Q)
street la calle (3)
street lamp el farol (10)
strong fuerte (Q)
student el alumno, la alumna (H)
studio el despacho (Q)
study estudiar (H)
study (room) el despacho (Q)
subway el metro (9)
such tal (H)
sugar el azúcar (Q)
suitcase la maleta (6)
sun el sol (*pl.* **soles**) (H)
sunbathe tomar el sol (12)
sunburnt quemado, quemada (12)
Sunday el domingo (Q)
sunrise la salida del sol (H)
sunscreen lotion la crema de broncear (12)
sunset la puesta del sol (H)
suntanned bronceado, bronceada (12)
supermarket el supermercado (9)
supper la cena (Q)
sweater el suéter (Q)

to **sweep** barrer (Q)
to **swim** nadar (H)
swimsuit el traje de baño (Q)
synagogue la sinagoga (9)

T

table la mesa (H)
tablecloth el mantel (*pl.*: **manteles**) (Q)
tablespoon la cuchara (Q)
to **take** tomar (Q)
to **take care of plants** cultivar plantas (1)
to **take off** (airplane) despegar (6)
to **take off one's clothes** quitarse la ropa (Q)
to **take out the trash** sacar la basura (Q)
to **take photographs** sacar fotos (1)
taking a trip de viaje (5)
tall alto, alta (Q)
to **taste** probar (Q)
taxi el taxi (3)
taxi driver el/la taxista (3)
tea el té (Q)
teacher el profesor, la profesora (H); el maestro, la maestra (Q)
team el equipo (1)
teaspoon la cucharita (Q)
telephone el teléfono (H)
telephone number el número de teléfono. (H)
television la televisión (Q)
television set el televisor (Q)
to **tell** decir (6)
temperature la temperatura (H)
tennis el tenis (1)
terrible terrible (H)
that ese, esa (12)
that (over there) aquel, aquella (12)
the (*s. m. f.*) el, la; (*pl.*) los, las (H)
theater el teatro (3)
their su, sus (Q)
themselves se (Q)

then luego (H)
there are hay (*inf.*: **haber**) (H)
there is hay (*inf.*: **haber**) (H)
these estos, estas (12)
they ellos, ellas (Q)
thin delgado, delgada (Q)
to **think** pensar (Q)
thirsty, to be tener sed (H)
this esto (H); este, esta (12)
this week esta semana (H)
those esos, esas (12)
those (over there) aquellos, aquellas (12)
Thursday jueves (H)
ticket el billete (5)
tiger el tigre (H)
time el tiempo, la hora (H)
timid tímido, tímida (Q)
tip la propina (8)
tired cansado, cansada (9)
to a (H)
  to the left a la izquierda (3)
  to the right a la derecha (3)
toast el pan tostado (Q)
together junto, junta (R)
tomorrow mañana (Q)
tongue la lengua (Q)
tooth el diente (Q)
to **touch** tocar (Q)
tourist el turista, la turista (7)
toward hacia (10)
towel la toalla (7)
town square la plaza (9)
traffic light el semáforo (3)
train el tren (*pl.*: **trenes**) (4)
transportation el transporte (4)
trash la basura (Q)
to **travel** viajar (5)
travel agency la agencia de viajes (5)
travel agent el/la agente de viajes (5)
travel bag la maleta (6)
traveler el viajero, la viajera (5)
triangle el triángulo (H)
trip el viaje (5)

to **try** probar (Q)
T-shirt la camiseta (Q)
Tuesday el martes (H)
turkey el pavo (Q)
to **turn** doblar (3)

U

ugly feo, fea (Q)
umbrella la sombrilla (12)
uncle el tío (H)
uncomfortable incómodo, incómod
under debajo de (Q)
underneath debajo de (Q)
undershirt la camiseta (Q)
to **understand** comprender (H)
to **undress** quitarse la ropa (Q)
unit la unidad (H)
until hasta (H)
upset enojado, enojada (9)
to **use** usar (H)

V

to **vacuum** pasar la aspiradora (Q)
vacuum cleaner la aspiradora (Q)
VCR la videocasetera (Q)
vegetables las legumbres (Q)
very muy (H)
view la vista (Q)
volcano el volcán (*pl.*: **volcanes**) (5)
volleyball el volibol (1)

W

waist la cintura (Q)
to **wait** esperar (Q)
waiter el camarero (8)
waitress la camarera (8)
to **wake up** despertarse (Q)
to **walk** caminar (H)
wall la pared (H)
to **want** querer (Q)

wash   lavar (Q)
   wash oneself   lavarse (Q)
   wash the floor   limpiar el piso (Q)
washing machine   la lavadora (Q)
wastebasket   la cesta (H)
water   el agua (*f. s.*) (7)
water fountain   la fuente de agua (Q)
water skiing   el esquí acuático (12)
watermelon   la sandía (Q)
water the plants   regar las plantas (Q)
wave   la ola (12)
wavy (hair)   ondulado (Q)
we   nosotras, nosotros (Q)
weak   débil (Q)
wear   llevar (Q), ponerse (Q)
weather   el tiempo (H)
Wednesday   el miércoles (H)
week   la semana (H)
   last week   la semana pasada (11)
well   bien (Q)
west   el oeste (10)
what?   ¿qué? (H)
when?   ¿cuándo? (Q)
where?   ¿dónde? ¿adónde? (H)
which?   ¿cuál?, ¿cuáles? (Q)
whip   batir (Q)
white   blanco, blanca (H)

who?   ¿quién? ¿quiénes? (H)
whose?   ¿de quién? (H)
why?   ¿por qué? (H)
window   la ventana (Q); la ventanilla (8)
winter   el invierno (H)
to **wipe dry**   secar (Q)
with   con (Q)
woman   la mujer (H)
wonderful   maravilloso, maravillosa (H)
to **work**   trabajar (Q)
to **write**   escribir (H)

Y

year   el año (H)
   last year   el año pasado (11)
years old, to be   tener...años (H)
yellow   amarillo, amarilla (H)
yes   sí (H)
yesterday   ayer (11)
you   tú; usted (H); ustedes (Q)
your   tu (*pl.*: **tus**) (H); su (*pl.*: **sus**) (Q)

Z

zoo   el zoológico (9)

INDEX

Acknowledgments

The publisher would like to thank the following photographers, organizations, and individuals for permission to reprint their photographs.
The following abbreviations are used to indicate the locations of photographs on pages where more than one photograph appears: T (top), B (bottom), L (left), R (right), and M (middle).

Cover Photographer:
Robert Keeling

Studio Photographers:
Jerry White Photography, Inc.
P&F Communications

American Egg Board: 16TR; **Amigos de Las Americas:** 91T; **Eduardo Aparicio:** 34, 191T, 229; **Stuart Cohen:** 3TL, 3B, 15, 16TL, 21, 36, 100, 151B, 153T, 171┃ 181, 189, 197B, 236; **COREL Professional Photos CD-ROM:** 260; **Bob Daemmrich:** 23M, 270; **DDB Stock Ph┃** 68, 87M, 87B, 125, 151T, D. Donne Bryant; 45M 131, J. P. Courau; 177B, Vince Dewitt; 113, Mark Harvey; 239, Alyx Kellington; 128, John Mitche┃ 204, Michael Moody; 215BL, S. Schulle; **Gene Dekovic:** 84L, 205; **Manuel Figueroa:** 114; **David R. Frazier:** 58, 77, 127T, 127B, 133, 147, 161, 171T, 177T, 213T, 213B, 227, 233T, 255T, 257T, 273; **Robert Fried:** 18, 19L, 19R, 23T, 37, 40, 54, 60, 95, 97, 109, 140, 143, 151M, 153B, 155, 171M, 173┃ 191M, 193T, 193B, 197T, 215BR, 255M, 257B; **B┃ Goldberg:** 3TR, 69, 187; **Hazel Hankin:** 185; **Erika Hu┃** 10; **The Image Works:** 219L, L. Crandall; 45T, Drew┃ Crawford; 215T, 235T, 263, Macduff Everton; 105M, K. Harrison; 165, Mangino; 252, David Wells; **Odyssey Productions/Chicago:** 169, Daniel Avery; 45B, 48, 62, 65M, 71, 87T, 91B, 105T, 10┃ 213M, 255, Robert Frerck; 249, Russell Gordon; **Chip and Rosa María de la Cueva Peterson:** 23B, 65T, 84M, 84R, 127M, 191B, 219R, 233M, 235B; **Jim Schmelzer:** 47; **Stock, Boston:** 233B, Bob Daemmrich; 107, Bill Horseman; **Sunkist Growers, Inc.:** 16B; **Dr. Miguel Vasquez:** 65B; **Marina Vine:** 199

Note: The publishers have made an effort to contact all copy right holders for permission to use their works. If any other copyright holders present themselves, appropriate acknowlec ment will be arranged for in subsequent printings.